C
ou l'Optimisme

Appareil pédagogique par

Stéphane Maltère
professeur de Lettres

Lexique établi par

Christine Girodias-Majeune

MAGNARD

Présentation :
l'auteur, l'œuvre et son contexte

Candide ou l'Optimisme
de Voltaire

Étude de l'œuvre :
séances

LECTURE, ÉTUDE DE LA LANGUE, EXPRESSION
Histoire des arts : Le libertinage dans la peinture du XVIIIe siècle
Notions littéraires : Le conte philosophique
Méthode : Comment analyser l'ouverture d'un récit

LECTURE, ÉTUDE DE LA LANGUE, EXPRESSION, PATRIMOINE
Notions littéraires : Parodie et réécriture
Méthode : Comment analyser la satire et l'ironie

LECTURE, ÉTUDE DE LA LANGUE, EXPRESSION, PATRIMOINE
Contextualisation : L'engagement au XVIIIe siècle
Méthode : Comment distinguer les registres littéraires

Sommaire

Voltaire (1694-1778)

Voltaire, vers 1750.

François-Marie Arouet naît le 21 novembre 1694. Très tôt, celui qui deviendra Voltaire (par l'anagramme de son nom latinisé AROVET Le Ieune) est passionné de théâtre. Son esprit habile et désinvolte le voue très tôt aux Lettres.

Le combat de toute sa vie est dirigé contre le fanatisme : emprisonné en 1717 pour des poèmes satiriques contre le Régent, il compose *La Henriade*, une épopée à la gloire du roi tolérant et conciliateur Henri IV.

Mais c'est surtout comme dramaturge qu'il se fait connaître : *Œdipe*, sa première pièce, est un immense succès qui lui ouvre les faveurs royales. Quand il fera jouer *Zaïre*, en 1732, on le considérera même comme l'égal de Racine et de Corneille.

En 1734, il publie les *Lettres philosophiques,* fruit de sa rencontre avec l'Angleterre où il s'est un temps exilé. C'est une véritable annonce du programme des Lumières. Il entame alors une correspondance régulière avec Frédéric II, roi de Prusse et modèle du despote éclairé, idéal des philosophes du XVIIIe siècle. L'expérience lui laisse cependant un goût amer.

En 1755, il s'installe près de Genève, aux Délices. Là, il participe un temps à l'*Encyclopédie*. Mais il rompt avec le projet

pour rédiger *Candide*. En 1760, il s'installe à Ferney, dans l'Ain, à la frontière suisse. Ce lieu devient l'auberge de l'Europe philosophique.

Voltaire revendique une écriture de combat. « J'écris pour agir » devient son credo. Il lutte par tous les moyens contre les superstitions et l'Église catholique. Son but est d'opérer une mutation intellectuelle et religieuse parmi les élites afin d'éclairer les esprits. Le *Traité sur la tolérance* et le *Dictionnaire philosophique* participent de sa lutte contre l'Infâme.

Il meurt à Paris, le 30 mai 1778, au sommet de sa gloire. En 1791, en pleine Révolution, on transfère sa dépouille au Panthéon, parmi les Grands Hommes.

Présentation : l'auteur, l'œuvre et son contexte

Candide (1759)

Candide est l'œuvre d'un vieil homme : quand le conte philosophique paraît, en janvier 1759, Voltaire a soixante-cinq ans et écrit depuis plus de quarante ans : c'est un auteur que ses contemporains connaissent et apprécient.

Voltaire entreprend-il la rédaction de *Candide* pour répondre à ses interrogations sur l'optimisme et la présence du mal dans le monde, suivant les traces des philosophes Leibniz et Pope ? Toujours est-il que l'ouvrage est composé en décembre 1757, entre la Suisse et la Prusse. À la fin de l'automne 1758, Voltaire dicte son manuscrit à son secrétaire Jean-Louis Wagnière.

L'ouvrage est imprimé à Genève par Cramer et porte pour seule mention : *Candide, ou l'optimisme, traduit de l'allemand de Mr le Docteur Ralph*. Le texte qui paraît est donc anonyme, volonté de l'auteur qui cherche à se protéger de représailles éventuelles. On reproche très vite à l'ouvrage ses impiétés et ses indécences : par tous les moyens, Voltaire fustige la société, la religion, les gouvernements et interroge ses contemporains sur la condition de l'homme.

Candide est diffusé à Paris en février 1759, aux Pays-Bas, en Angleterre et dans toutes les cours européennes. Il connaît un succès sans précédent : 20 000 exemplaires sont vendus la seule première année.

Jean Huber (1721-1786), *Le Dîner des philosophes* (1772) réunissant notamment Voltaire, qui lève la main, le regard porté sur Diderot, Condorcet parlant à l'abbé Maury (à gauche) et d'Alembert (de trois quarts de dos).

Présentation : l'auteur, l'œuvre et son contexte

L'éclosion des Lumières (1715-1750)

Candide se nourrit de l'actualité de son temps. Si le conte philosophique connaît un immense succès, c'est parce qu'il parle de la société, des guerres, des monarques et des injustices du XVIIIᵉ siècle.

La destruction de Lisbonne, dont les ruines serviront de cadre aux pérégrinations de Candide, l'institutionnalisation de l'esclavage dont Voltaire montre les ravages, la guerre de Sept Ans, l'influence dangereuse de l'Église catholique,

Contexte historique et culturel

Révocation de l'édit de Nantes, persécutions religieuses
Code noir fixant les règles de l'esclavage
1685

1700

LOUIS XIV
(1643-1715)

✝ Mort de Louis XIV
1715

Création de la Compagnie des Indes (commerce triangulaire)
1719

LA RÉGENCE
(1715-1723)

Frédéric roi de Prus
1740-178

LOUIS X

1700

1694
Naissance de Voltaire

1721
Lettres persanes de Montesquieu

1730
Le Jeu de l'amour et du hasard de Marivaux

1731
Manon Lescaut de l'abbé Prévost

1732
Zaïre de Voltaire

1734
Lettres philosophiq

l'exploitation du Nouveau Monde, tout parle au lecteur du siècle des Lumières. Si les références manquent parfois au lecteur d'aujourd'hui, il y retrouve intacts l'esprit et le mordant du style voltairien.

En prônant la liberté et la tolérance, Voltaire s'inscrit parfaitement dans le projet des philosophes des Lumières Diderot et d'Alembert, qui publient depuis 1750 une *Encyclopédie* destinée au progrès des esprits, mais aussi Montesquieu ou Rousseau.

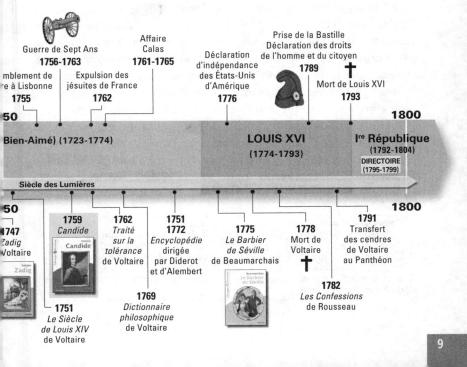

Guerre de Sept Ans
1756-1763

Affaire
Calas
1761-1765

Prise de la Bastille
Déclaration des droits
de l'homme et du citoyen
1789

...mblement de
...re à Lisbonne
1755

Expulsion des
jésuites de France
1762

Déclaration
d'indépendance
des États-Unis
d'Amérique
1776

Mort de Louis XVI
1793

50

1800

Bien-Aimé) (1723-1774)

LOUIS XVI
(1774-1793)

Iʳᵉ République
(1792-1804)

DIRECTOIRE
(1795-1799)

Siècle des Lumières

50

1800

1747
Zadig
Voltaire

1759
Candide

1762
Traité
sur la
tolérance
de Voltaire

1751
1772
Encyclopédie
dirigée
par Diderot
et d'Alembert

1775
Le Barbier
de Séville
de Beaumarchais

1778
Mort de
Voltaire

1791
Transfert
des cendres
de Voltaire
au Panthéon

1751
Le Siècle
de Louis XIV
de Voltaire

1769
Dictionnaire
philosophique
de Voltaire

1782
Les Confessions
de Rousseau

Candide ou l'Optimisme

Traduit de l'allemand de M. le docteur Ralph, avec les additions qu'on a trouvées dans la poche du docteur, lorsqu'il mourut à Minden, l'an de grâce 1759.

Chapitre 1
Comment Candide fut élevé dans un beau château, et comment il fut chassé d'icelui[1]

Il y avait en Westphalie[2], dans le château de M. le baron de Thunder-ten-tronckh, un jeune garçon à qui la nature avait donné les mœurs les plus douces. Sa physionomie annonçait son âme. Il avait le jugement assez droit, avec l'esprit le plus simple ; c'est, je

5 crois, pour cette raison qu'on le nommait Candide. Les anciens domestiques de la maison soupçonnaient qu'il était fils de la sœur de monsieur le baron et d'un bon et honnête gentilhomme du voisinage, que cette demoiselle ne voulut jamais épouser parce qu'il n'avait pu prouver que soixante et onze quartiers[3], et que le reste de

10 son arbre généalogique avait été perdu par l'injure du temps.

Monsieur le baron était un des plus puissants seigneurs de la Westphalie, car son château avait une porte et des fenêtres. Sa grande salle même était ornée d'une tapisserie. Tous les chiens de ses basses-cours composaient une meute dans le besoin ; ses pale-

15 freniers[4] étaient ses piqueurs[5] ; le vicaire[6] du village était son grand

Vocabulaire et nom propre

1. *D'icelui :* de celui-ci (forme ancienne, même au XVIIIe siècle).
2. *Westphalie :* province du nord-ouest de l'Allemagne.
3. *Quartiers :* degrés de descendance dans une famille noble.

4. *Palefreniers :* garçons d'écurie.
5. *Piqueurs :* valets de chiens qui suivent à cheval, lors d'une chasse à courre.
6. *Vicaire :* prêtre assistant d'un curé.

aumônier[1]. Ils l'appelaient tous Monseigneur, et ils riaient quand il faisait des contes.

Madame la baronne, qui pesait environ trois cent cinquante livres[2], s'attirait par là une très grande considération, et faisait les

20 honneurs de la maison avec une dignité qui la rendait encore plus respectable. Sa fille Cunégonde, âgée de dix-sept ans, était haute en couleur, fraîche, grasse, appétissante. Le fils du baron paraissait en tout digne de son père. Le précepteur Pangloss était l'oracle de la maison, et le petit Candide écoutait ses leçons avec toute la bonne

25 foi de son âge et de son caractère.

Pangloss enseignait la métaphysico-théologo-cosmolonigologie. Il prouvait admirablement qu'il n'y a point d'effet sans cause, et que, dans ce meilleur des mondes possibles, le château de monseigneur le baron était le plus beau des châteaux, et madame la meilleure des

30 baronnes possibles.

« Il est démontré, disait-il, que les choses ne peuvent être autrement : car tout étant fait pour une fin, tout est nécessairement pour la meilleure fin. Remarquez bien que les nez ont été faits pour porter des lunettes ; aussi avons-nous des lunettes. Les jambes sont visible-

35 ment instituées pour être chaussées[3], et nous avons des chausses. Les pierres ont été formées pour être taillées et pour en faire des châteaux ; aussi monseigneur a un très beau château : le plus grand baron de la province doit être le mieux logé ; et les cochons étant faits pour être mangés, nous mangeons du porc toute l'année. Par

40 conséquent, ceux qui ont avancé que tout est bien ont dit une sottise : il fallait dire que tout est au mieux. »

Candide écoutait attentivement, et croyait innocemment : car il trou-

Vocabulaire

1. *Aumônier :* prêtre chargé de l'éducation religieuse, ici au service d'un seigneur.

2. *Trois cent cinquante livres :* près de 175 kg (une livre équivalant à 500 g environ).

3. *Chaussées :* vêtues de chausses, ancienne dénomination du pantalon.

vait M^{lle} Cunégonde extrêmement belle, quoiqu'il ne prît jamais la hardiesse[1] de le lui dire. Il concluait qu'après le bonheur d'être né baron
45 de Thunder-ten-tronckh, le second degré de bonheur était d'être M^{lle}
Cunégonde ; le troisième, de la voir tous les jours ; et le quatrième, d'entendre maître Pangloss, le plus grand philosophe de la province, et par
conséquent de toute la terre.

Un jour, Cunégonde, en se promenant auprès du château, dans
50 le petit bois qu'on appelait parc, vit entre des broussailles le doc-
teur Pangloss qui donnait une leçon de physique expérimentale à la
femme de chambre de sa mère, petite brune très jolie et très docile.
Comme M^{lle} Cunégonde avait beaucoup de disposition pour les
sciences, elle observa, sans souffler[2], les expériences réitérées[3] dont
55 elle fut témoin ; elle vit clairement la raison suffisante[4] du docteur,
les effets et les causes, et s'en retourna tout agitée, toute pensive,
toute remplie du désir d'être savante, songeant qu'elle pourrait bien
être la raison suffisante du jeune Candide, qui pouvait aussi être la
sienne.

60 Elle rencontra Candide en revenant au château, et rougit ; Candide
rougit aussi. Elle lui dit bonjour d'une voix entrecoupée ; et Candide lui
parla sans savoir ce qu'il disait. Le lendemain, après le dîner, comme on
sortait de table, Cunégonde et Candide se trouvèrent derrière un paravent ; Cunégonde laissa tomber son mouchoir, Candide le ramassa ;
65 elle lui prit innocemment la main ; le jeune homme baisa innocemment la main de la jeune demoiselle avec une vivacité, une sensibilité,
une grâce toute particulière ; leurs bouches se rencontrèrent, leurs yeux
s'enflammèrent, leurs genoux tremblèrent, leurs mains s'égarèrent.
M. le baron de Thunder-ten-tronckh passa auprès du paravent et,
70 voyant cette cause et cet effet, chassa Candide du château à grands

Vocabulaire

1. *La hardiesse :* l'audace, le courage.
2. *Sans souffler :* sans un mot.
3. *Réitérées :* répétées.

4. *Raison suffisante :* principe de philosophie qui explique que jamais rien ne se produit sans une cause déterminante.

coups de pied dans le derrière. Cunégonde s'évanouit : elle fut souffletée par madame la baronne dès qu'elle fut revenue à elle-même ; et tout fut consterné dans le plus beau et le plus agréable des châteaux possibles.

Chapitre 2
Ce que devint Candide parmi les Bulgares

Candide, chassé du paradis terrestre, marcha longtemps sans savoir où, pleurant, levant les yeux au ciel, les tournant souvent vers le plus beau des châteaux qui renfermait la plus belle des baronnettes ; il se coucha sans souper au milieu des champs entre deux sillons ; la neige tombait à gros flocons. Candide, tout transi[1], se traîna le lendemain vers la ville voisine, qui s'appelle Valdberghoff-trarbk-dikdorff, n'ayant point d'argent, mourant de faim et de lassitude. Il s'arrêta tristement à la porte d'un cabaret. Deux hommes habillés de bleu le remarquèrent : « Camarade, dit l'un, voilà un jeune homme très bien fait, et qui a la taille requise ; ils s'avancèrent vers Candide, et le prièrent à dîner très civilement. – Messieurs, leur dit Candide avec une modestie charmante, vous me faites beaucoup d'honneur, mais je n'ai pas de quoi payer mon écot[2]. – Ah ! monsieur, lui dit un des bleus, les personnes de votre figure et de votre mérite ne paient jamais rien : n'avez-vous pas cinq pieds cinq pouces[3] de haut ? – Oui, messieurs, c'est ma taille, dit-il en faisant la révérence. – Ah ! monsieur, mettez-vous à table ; non seulement nous vous défrayerons[4], mais nous ne souffrirons[5] jamais qu'un homme

Vocabulaire
1. *Transi :* paralysé de froid.
2. *Payer mon écot :* payer ma part de la dépense commune.
3. *Cinq pieds cinq pouces :* un peu moins d'1,75 m (le pied mesurait 32 cm et le pouce 2,7 cm).
4. *Défrayerons :* rétribuerons, payerons.
5. *Souffrirons :* supporterons.

comme vous manque d'argent ; les hommes ne sont faits que pour

20 se secourir les uns les autres. – Vous avez raison, dit Candide ; c'est ce que M. Pangloss m'a toujours dit, et je vois bien que tout est au mieux. » On le prie d'accepter quelques écus, il les prend et veut faire son billet[1] ; on n'en veut point, on se met à table. « N'aimez-vous pas tendrement ?… – Oh ! oui, répond-il, j'aime tendrement

25 Mlle Cunégonde. – Non, dit l'un de ces messieurs, nous vous demandons si vous n'aimez pas tendrement le roi des Bulgares ? – Point du tout, dit-il, car je ne l'ai jamais vu. – Comment ! c'est le plus charmant des rois, et il faut boire à sa santé. – Oh ! très volontiers, messieurs. » Et il boit. « C'en est assez, lui dit-on, vous voilà l'appui,

30 le soutien, le défenseur, le héros des Bulgares ; votre fortune est faite, et votre gloire est assurée. » On lui met sur-le-champ les fers aux pieds, et on le mène au régiment. On le fait tourner à droite, à gauche, hausser la baguette, remettre la baguette[2], coucher en joue, tirer, doubler le pas, et on lui donne trente coups de bâton ; le len-

35 demain, il fait l'exercice un peu moins mal, et il ne reçoit que vingt coups ; le surlendemain, on ne lui en donne que dix, et il est regardé par ses camarades comme un prodige.

Candide, tout stupéfait, ne démêlait pas encore trop bien comment il était un héros. Il s'avisa un beau jour de printemps de s'aller

40 promener, marchant tout droit devant lui, croyant que c'était un privilège de l'espèce humaine, comme de l'espèce animale, de se servir de ses jambes à son plaisir. Il n'eut pas fait deux lieues[3] que voilà quatre autres héros de six pieds qui l'atteignent, qui le lient, qui le mènent dans un cachot. On lui demanda juridiquement ce

45 qu'il aimait le mieux : d'être fustigé[4] trente-six fois par tout le régi-

Vocabulaire

1. *Faire son billet :* signer une reconnaissance de dette.
2. *Hausser la baguette, remettre la baguette :* faire les manœuvres nécessaires au chargement de l'arme en poudre.

3. *Lieue :* ancienne mesure équivalant à 4 km.
4. *Fustigé :* frappé avec un bâton pour recevoir une correction.

ment ou de recevoir à la fois douze balles de plomb dans la cervelle. Il eut beau dire que les volontés sont libres, et qu'il ne voulait ni l'un ni l'autre, il fallut faire un choix : il se détermina, en vertu du don de Dieu qu'on nomme *liberté*, à passer trente-six fois par les
50 baguettes ; il essuya deux promenades. Le régiment était composé de deux mille hommes ; cela lui composa quatre mille coups de baguette, qui, depuis la nuque du cou jusqu'au cul, lui découvrirent les muscles et les nerfs. Comme on allait procéder à la troisième course, Candide, n'en pouvant plus, demanda en grâce qu'on voulût
55 bien avoir la bonté de lui casser la tête ; il obtint cette faveur ; on lui bande les yeux ; on le fait mettre à genoux. Le roi des Bulgares passe dans ce moment, s'informe du crime du patient ; et comme ce roi avait un grand génie, il comprit, par tout ce qu'il apprit de Candide, que c'était un jeune métaphysicien fort ignorant des choses de ce
60 monde, et il lui accorda sa grâce avec une clémence qui sera louée dans tous les journaux et dans tous les siècles. Un brave chirurgien guérit Candide en trois semaines avec les émollients[1] enseignés par Dioscoride[2]. Il avait déjà un peu de peau, et pouvait marcher, quand le roi des Bulgares livra bataille au roi des Abares[3].

Chapitre 3
Comment Candide se sauva d'entre les Bulgares, et ce qu'il devint

Rien n'était si beau, si leste[4], si brillant, si bien ordonné que les deux armées. Les trompettes, les fifres, les hautbois, les tambours,

Vocabulaire et noms propres
1. *Émollients* : produits apaisants, comme une pommade.
2. *Dioscoride* : médecin grec du I[er] siècle qui utilisait les plantes pour soigner.
3. *Abares* : peuple d'envahisseurs venu de Mongolie.
4. *Leste* : agile, léger.

les canons, formaient une harmonie telle qu'il n'y en eut jamais en enfer. Les canons renversèrent d'abord à peu près six mille hommes de chaque côté ; ensuite la mousqueterie[1] ôta du meilleur des mondes environ neuf à dix mille coquins qui en infectaient la surface. La baïonnette fut aussi la raison suffisante de la mort de quelques milliers d'hommes. Le tout pouvait bien se monter à une trentaine de mille âmes. Candide, qui tremblait comme un philosophe, se cacha du mieux qu'il put pendant cette boucherie héroïque.

Enfin, tandis que les deux rois faisaient chanter des *Te Deum*[2], chacun dans son camp, il prit le parti d'aller raisonner ailleurs des effets et des causes. Il passa par-dessus des tas de morts et de mourants, et gagna d'abord un village voisin ; il était en cendres : c'était un village abare que les Bulgares avaient brûlé, selon les lois du droit public. Ici des vieillards criblés de coups regardaient mourir leurs femmes égorgées, qui tenaient leurs enfants à leurs mamelles sanglantes ; là des filles, éventrées après avoir assouvi les besoins naturels de quelques héros, rendaient les derniers soupirs ; d'autres, à demi brûlées, criaient qu'on achevât de leur donner la mort. Des cervelles étaient répandues sur la terre à côté de bras et de jambes coupés.

Candide s'enfuit au plus vite dans un autre village : il appartenait à des Bulgares, et les héros abares l'avaient traité de même. Candide, toujours marchant sur des membres palpitants ou à travers des ruines, arriva enfin hors du théâtre de la guerre, portant quelques petites provisions dans son bissac[3], et n'oubliant jamais Mlle Cunégonde. Ses provisions lui manquèrent quand il fut en Hollande ; mais ayant entendu dire que tout le monde était riche dans ce pays-là, et qu'on y était chrétien, il ne douta pas qu'on ne le traitât aussi bien qu'il

Vocabulaire et nom propre

1. *Mousqueterie :* ensemble des coups de feu tirés par une arme comme le mousquet.

2. *Te Deum :* chant latin pour remercier Dieu à l'occasion d'une victoire.

3. *Bissac :* besace formée de deux sacs séparés par le milieu.

l'avait été dans le château de monsieur le baron, avant qu'il en eût été chassé pour les beaux yeux de M[lle] Cunégonde.

Il demanda l'aumône à plusieurs graves personnages, qui lui répondirent tous que, s'il continuait à faire ce métier, on l'enferme-
35 rait dans une maison de correction pour lui apprendre à vivre.

Il s'adressa ensuite à un homme qui venait de parler tout seul une heure de suite sur la charité dans une grande assemblée. Cet orateur, le regardant de travers, lui dit : « Que venez-vous faire ici ? y êtes-vous pour la bonne cause ? – Il n'y a point d'effet sans cause, répondit
40 modestement Candide ; tout est enchaîné nécessairement, et arrangé pour le mieux. Il a fallu que je fusse chassé d'auprès de M[lle] Cunégonde, que j'aie passé par les baguettes, et il faut que je demande mon pain, jusqu'à ce que je puisse en gagner ; tout cela ne pouvait être autrement. – Mon ami, lui dit l'orateur, croyez-vous que le pape soit l'antéchrist[1] ?
45 – Je ne l'avais pas encore entendu dire, répondit Candide ; mais qu'il le soit, ou qu'il ne le soit pas, je manque de pain. – Tu ne mérites pas d'en manger, dit l'autre ; va, coquin ; va, misérable, ne m'approche de ta vie. » La femme de l'orateur ayant mis la tête à la fenêtre, et avisant un homme qui doutait que le pape fût antéchrist, lui répandit sur le
50 chef[2] un plein... Ô Ciel ! à quel excès se porte le zèle de la religion dans les dames !

Un homme qui n'avait point été baptisé, un bon anabaptiste[3], nommé Jacques, vit la manière cruelle et ignominieuse[4] dont on trai- tait ainsi un de ses frères, un être à deux pieds sans plumes, qui avait
55 une âme ; il l'amena chez lui, le nettoya, lui donna du pain et de la bière, lui fit présent de deux florins[5], et voulut même lui apprendre à travailler dans ses manufactures aux étoffes de Perse qu'on fabrique en Hollande. Candide, se prosternant presque devant lui, s'écriait :

Vocabulaire
1. *L'antéchrist :* l'adversaire du Christ, le diable.
2. *Le chef :* la tête.
3. *Anabaptiste :* adepte d'une forme

de protestantisme qui prônait le bap- tême à l'âge de raison.
4. *Ignominieuse :* déshonorante.
5. *Florin :* monnaie des Pays-Bas.

Candide ou l'Optimisme

« Maître Pangloss me l'avait bien dit que tout est au mieux dans ce
60 monde, car je suis infiniment plus touché de votre extrême générosité que de la dureté de ce monsieur à manteau noir, et de madame son épouse. »

Le lendemain, en se promenant, il rencontra un gueux tout couvert de pustules, les yeux morts, le bout du nez rongé, la bouche de
65 travers, les dents noires, et parlant de la gorge, tourmenté d'une toux violente, et crachant une dent à chaque effort.

Chapitre 4
Comment Candide rencontra son ancien maître de philosophie, le docteur Pangloss, et ce qui en advint

Candide, plus ému encore de compassion que d'horreur, donna à cet épouvantable gueux les deux florins qu'il avait reçus de son honnête anabaptiste Jacques. Le fantôme le regarda fixement, versa des larmes, et sauta à son cou. Candide, effrayé, recule. « Hélas ! dit
5 le misérable à l'autre misérable, ne reconnaissez-vous plus votre cher Pangloss ? – Qu'entends-je ? Vous, mon cher maître ! vous, dans cet état horrible ! Quel malheur vous est-il donc arrivé ? Pourquoi n'êtes-vous plus dans le plus beau des châteaux ? Qu'est devenue M\ub{lle} Cunégonde, la perle des filles, le chef-d'œuvre de la nature ?
10 – Je n'en peux plus, dit Pangloss. » Aussitôt Candide le mena dans l'étable de l'anabaptiste, où il lui fit manger un peu de pain ; et quand Pangloss fut refait[1] : « Eh bien ! lui dit-il, Cunégonde ? – Elle est morte, reprit l'autre. » Candide s'évanouit à ce mot : son ami rappela ses sens avec un peu de mauvais vinaigre qui se trouva par hasard
15 dans l'étable. Candide rouvre les yeux. « Cunégonde est morte ! Ah !

Vocabulaire
1. *Fut refait :* se fut rétabli après avoir mangé à sa faim.

meilleur des mondes, où êtes-vous ? Mais de quelle maladie est-elle
morte ? ne serait-ce point de m'avoir vu chasser du beau château de
monsieur son père à grands coups de pied ? – Non, dit Pangloss, elle
a été éventrée par des soldats bulgares, après avoir été violée autant
20 qu'on peut l'être ; ils ont cassé la tête à monsieur le baron qui vou-
lait la défendre ; madame la baronne a été coupée en morceaux ;
mon pauvre pupille traité précisément comme sa sœur ; et quant
au château, il n'est pas resté pierre sur pierre, pas une grange, pas
un mouton, pas un canard, pas un arbre ; mais nous avons été bien
25 vengés, car les Abares en ont fait autant dans une baronnie voisine
qui appartenait à un seigneur bulgare. »

À ce discours, Candide s'évanouit encore ; mais revenu à soi, et
ayant dit tout ce qu'il devait dire, il s'enquit de la cause et de l'effet,
et de la raison suffisante qui avait mis Pangloss dans un si piteux état.
30 « Hélas ! dit l'autre, c'est l'amour : l'amour, le consolateur du genre
humain, le conservateur de l'univers, l'âme de tous les êtres sensibles,
le tendre amour. – Hélas ! dit Candide, je l'ai connu cet amour, ce
souverain des cœurs, cette âme de notre âme ; il ne m'a jamais valu
qu'un baiser et vingt coups de pied au cul. Comment cette belle cause
35 a-t-elle pu produire en vous un effet si abominable ? »

Pangloss répondit en ces termes : « Ô mon cher Candide ! vous
avez connu Paquette, cette jolie suivante de notre auguste baronne ;
j'ai goûté dans ses bras les délices du paradis, qui ont produit ces
tourments d'enfer dont vous me voyez dévoré ; elle en était infectée,
40 elle en est peut-être morte. Paquette tenait ce présent d'un cordelier[1]
très savant qui avait remonté à la source, car il l'avait eu d'une vieille
comtesse, qui l'avait reçu d'un capitaine de cavalerie, qui le devait à
une marquise, qui le tenait d'un page, qui l'avait reçu d'un jésuite,
qui, étant novice[2], l'avait eu en droite ligne d'un des compagnons

Vocabulaire
1. *Cordelier :* moine franciscain.
2. *Novice :* religieux qui n'a pas en-
core prononcé ses vœux.

45 de Christophe Colomb. Pour moi, je ne le donnerai à personne, car je me meurs.

– Ô Pangloss ! s'écria Candide, voilà une étrange généalogie ! n'est-ce pas le diable qui en fut la souche ?

– Point du tout, répliqua ce grand homme ; c'était une chose indis-
50 pensable dans le meilleur des mondes, un ingrédient nécessaire ; car si Colomb n'avait pas attrapé dans une île de l'Amérique cette mala-die qui empoisonne la source de la génération[1], qui souvent même empêche la génération, et qui est évidemment l'opposé du grand but de la nature, nous n'aurions ni le chocolat ni la cochenille[2] ; il
55 faut encore observer que jusqu'aujourd'hui, dans notre continent, cette maladie nous est particulière, comme la controverse[3]. Les Turcs, les Indiens, les Persans, les Chinois, les Siamois, les Japonais, ne la connaissent pas encore ; mais il y a une raison suffisante pour qu'ils la connaissent à leur tour dans quelques siècles. En attendant, elle a
60 fait un merveilleux progrès parmi nous, et surtout dans ces grandes armées composées d'honnêtes stipendiaires[4] bien élevés, qui déci-dent du destin des États ; on peut assurer que, quand trente mille hommes combattent en bataille rangée contre des troupes égales en nombre, il y a environ vingt mille vérolés[5] de chaque côté.

65 – Voilà qui est admirable, dit Candide ; mais il faut vous faire guérir.

– Et comment le puis-je ? dit Pangloss ; je n'ai pas le sou, mon ami, et dans toute l'étendue de ce globe on ne peut ni se faire saigner, ni prendre un lavement sans payer, ou sans qu'il y ait quelqu'un qui
70 paye pour nous. »

Ce dernier discours détermina Candide ; il alla se jeter aux pieds de

Vocabulaire

1. *La source de la génération :* les or-ganes reproducteurs.
2. *Cochenille :* insecte dont on tire une teinture rouge.
3. *Controverse :* débat ayant souvent pour thème la religion.

4. *Stipendiaires :* soldats mercenaires.
5. *Vérolés :* malades de la syphilis, une maladie sexuellement transmissible.

son charitable anabaptiste Jacques, et lui fit une peinture si touchante de l'état où son ami était réduit, que le bonhomme n'hésita pas à recueillir le docteur Pangloss ; il le fit guérir à ses dépens. Pangloss,
75 dans la cure, ne perdit qu'un œil et une oreille. Il écrivait bien, et savait parfaitement l'arithmétique. L'anabaptiste Jacques en fit son teneur de livres. Au bout de deux mois, étant obligé d'aller à Lisbonne pour les affaires de son commerce, il mena dans son vaisseau ses deux philosophes. Pangloss lui expliqua comment tout était on ne peut
80 mieux. Jacques n'était pas de cet avis. « Il faut bien, disait-il, que les hommes aient un peu corrompu la nature, car ils ne sont point nés loups, et ils sont devenus loups. Dieu ne leur a donné ni canons de vingt-quatre, ni baïonnettes ; et ils se sont fait des baïonnettes et des canons pour se détruire. Je pourrais mettre en ligne de compte les
85 banqueroutes[1], et la justice qui s'empare des biens des banquerou-tiers pour en frustrer les créanciers[2]. – Tout cela était indispensable, répliquait le docteur borgne, et les malheurs particuliers font le bien général ; de sorte que plus il y a de malheurs particuliers, et plus tout est bien. » Tandis qu'il raisonnait, l'air s'obscurcit, les vents souffle-
90 rent des quatre coins du monde, et le vaisseau fut assailli de la plus horrible tempête, à la vue du port de Lisbonne.

Chapitre 5
Tempête, naufrage, tremblement de terre, et ce qui advint du docteur Pangloss, de Candide et de l'anabaptiste Jacques

La moitié des passagers affaiblis, expirant de ces angoisses incon-cevables que le roulis d'un vaisseau porte dans les nerfs et dans toutes

Vocabulaire
1. *Banqueroutes :* faillites.
2. *Créanciers :* prêteurs à qui l'on doit de l'argent.

les humeurs du corps agitées en sens contraires, n'avait pas même la force de s'inquiéter du danger. L'autre moitié jetait des cris et faisait des prières ; les voiles étaient déchirées, les mâts brisés, le vaisseau entrouvert. Travaillait qui pouvait, personne ne s'entendait, personne ne commandait. L'anabaptiste aidait un peu à la manœuvre ; il était sur le tillac[1] ; un matelot furieux le frappe rudement et l'étend sur les planches ; mais du coup qu'il lui donna, il eut lui-même une si violente secousse, qu'il tomba hors du vaisseau, la tête la première. Il restait suspendu et accroché à une partie de mât rompu. Le bon Jacques court à son secours, l'aide à remonter, et de l'effort qu'il fait, il est précipité dans la mer à la vue du matelot, qui le laissa périr sans daigner seulement le regarder. Candide approche, voit son bienfaiteur qui reparaît un moment, et qui est englouti pour jamais. Il veut se jeter après lui dans la mer : le philosophe Pangloss l'en empêche, en lui prouvant que la rade de Lisbonne avait été formée exprès pour que cet anabaptiste s'y noyât. Tandis qu'il le prouvait *a priori*[2], le vaisseau s'entrouvre ; tout périt, à la réserve de Pangloss, de Candide, et de ce brutal de matelot qui avait noyé le vertueux anabaptiste : le coquin nagea heureusement jusqu'au rivage, où Pangloss et Candide furent portés sur une planche.

Quand ils furent revenus un peu à eux, ils marchèrent vers Lisbonne ; il leur restait quelque argent, avec lequel ils espéraient se sauver de la faim après avoir échappé à la tempête.

À peine ont-ils mis le pied dans la ville, en pleurant la mort de leur bienfaiteur, qu'ils sentent la terre trembler sous leurs pas ; la mer s'élève en bouillonnant dans le port, et brise les vaisseaux qui sont à l'ancre[3]. Des tourbillons de flammes et de cendres couvrent les rues et les places publiques ; les maisons s'écroulent, les toits sont renversés sur les fondements, et les fondements se dispersent ; trente mille

Vocabulaire
1. *Tillac :* pont supérieur d'un navire.
2. *A priori :* avant de l'avoir expérimenté, de façon abstraite.

3. *À l'ancre :* à l'arrêt.

habitants de tout âge et de tout sexe sont écrasés sous des ruines. Le matelot disait en sifflant et en jurant : « Il y aura quelque chose à gagner ici. – Quelle peut être la raison suffisante de ce phénomène ?
35 disait Pangloss. – Voici le dernier jour du monde ! s'écriait Candide. » Le matelot court incontinent[1] au milieu des débris, affronte la mort pour trouver de l'argent, en trouve, s'en empare, s'enivre, et ayant cuvé son vin, achète les faveurs de la première fille de bonne volonté qu'il rencontre sur les ruines des maisons détruites et au milieu des
40 mourants et des morts. Pangloss le tirait cependant par la manche : « Mon ami, lui disait-il, cela n'est pas bien, vous manquez à la raison universelle, vous prenez mal votre temps. – Tête et sang, répondit l'autre, je suis matelot et né à Batavia ; j'ai marché quatre fois sur le crucifix dans quatre voyages au Japon ; tu as bien trouvé ton homme
45 avec ta raison universelle ! »

Quelques éclats de pierre avaient blessé Candide ; il était étendu dans la rue et couvert de débris. Il disait à Pangloss : « Hélas ! procure-moi un peu de vin et d'huile ; je me meurs. – Ce tremblement de terre n'est pas une chose nouvelle, répondit Pangloss ; la ville
50 de Lima éprouva les mêmes secousses en Amérique l'année passée ; mêmes causes, mêmes effets ; il y a certainement une traînée de soufre sous terre depuis Lima jusqu'à Lisbonne. – Rien n'est plus probable, dit Candide ; mais, pour Dieu, un peu d'huile et de vin. – Comment probable ? répliqua le philosophe, je soutiens que la
55 chose est démontrée. » Candide perdit connaissance, et Pangloss lui apporta un peu d'eau d'une fontaine voisine.

Le lendemain, ayant trouvé quelques provisions de bouche en se glissant à travers des décombres, ils réparèrent un peu leurs forces. Ensuite ils travaillèrent comme les autres à soulager les habitants
60 échappés à la mort. Quelques citoyens, secourus par eux, leur donnèrent un aussi bon dîner qu'on le pouvait dans un tel désastre :

Vocabulaire
1. *Incontinent :* aussitôt, sur-le-champ.

il est vrai que le repas était triste ; les convives arrosaient leur pain de leurs larmes ; mais Pangloss les consola, en les assurant que les choses ne pouvaient être autrement : « Car, dit-il, tout ceci est ce
65 qu'il y a de mieux ; car s'il y a un volcan à Lisbonne, il ne pouvait être ailleurs ; car il est impossible que les choses ne soient pas où elles sont, car tout est bien. »

Un petit homme noir, familier de l'Inquisition[1], lequel était à côté de lui, prit poliment la parole et dit: « Apparemment que mon-
70 sieur ne croit pas au péché originel ; car si tout est au mieux, il n'y a donc eu ni chute ni punition. – Je demande très humblement pardon à votre excellence, répondit Pangloss encore plus poliment, car la chute de l'homme et la malédiction entraient nécessairement dans le meilleur des mondes possibles. – Monsieur ne croit donc pas à la
75 liberté ? dit le familier. – Votre excellence m'excusera, dit Pangloss ; la liberté peut subsister avec la nécessité absolue ; car il était nécessaire que nous fussions libres ; car enfin la volonté déterminée… » Pangloss était au milieu de sa phrase, quand le familier fit un signe de tête à son estafier[2] qui lui servait à boire du vin de Porto ou d'Oporto.

Chapitre 6
Comment on fit un bel auto-da-fé[3] pour empêcher les tremblements de terre, et comment Candide fut fessé

Après le tremblement de terre qui avait détruit les trois quarts de Lisbonne, les sages du pays n'avaient pas trouvé un moyen plus effi-

Vocabulaire
1. *Familier de l'Inquisition :* officier de l'Inquisition chargé d'arrêter les hérétiques, les juifs, les musulmans et les individus convaincus de sorcellerie.

2. *Estafier :* valet chargé de porter les armes et les vêtements.
3. *Auto-da-fé :* cérémonie au cours de laquelle les jugements de l'Inquisition sont rendus. On procède parfois à l'exécution des coupables par le feu.

cace pour prévenir une ruine totale que de donner au peuple un bel
auto-da-fé ; il était décidé par l'université de Coïmbre que le spectacle
5 de quelques personnes brûlées à petit feu, en grande cérémonie, est
un secret infaillible pour empêcher la terre de trembler.

On avait en conséquence saisi un Biscayen[1] convaincu[2] d'avoir
épousé sa commère[3], et deux Portugais qui en mangeant un poulet
en avaient arraché le lard[4] : on vint lier après le dîner le docteur
10 Pangloss et son disciple Candide, l'un pour avoir parlé, et l'autre pour
l'avoir écouté avec un air d'approbation ; tous deux furent menés
séparément dans des appartements d'une extrême fraîcheur, dans
lesquels on n'était jamais incommodé du soleil ; huit jours après
ils furent tous deux revêtus d'un san-benito[5], et on orna leurs têtes
15 de mitres de papier : la mitre et le san-benito de Candide étaient
peints de flammes renversées, et de diables qui n'avaient ni queues
ni griffes ; mais les diables de Pangloss portaient griffes et queues,
et les flammes étaient droites. Ils marchèrent en procession ainsi
vêtus, et entendirent un sermon très pathétique, suivi d'une belle
20 musique en faux-bourdon[6]. Candide fut fessé en cadence, pendant
qu'on chantait ; le Biscayen et les deux hommes qui n'avaient point
voulu manger de lard furent brûlés, et Pangloss fut pendu, quoique
ce ne soit pas la coutume. Le même jour la terre trembla de nouveau
avec un fracas épouvantable.

25 Candide, épouvanté, interdit[7], éperdu, tout sanglant, tout pal-
pitant, se disait à lui-même : « Si c'est ici le meilleur des mondes
possibles, que sont donc les autres ? passe encore si je n'étais que

Vocabulaire et nom propre
1. *Biscayen* : habitant de la Biscaye, province du nord de l'Espagne.
2. *Convaincu* : accusé.
3. *Sa commère* : la marraine d'un enfant dont il est le parrain. Il était interdit aux parrains et marraines de se marier ensemble.
4. *En avaient arraché le lard* : avaient retiré le porc qui bardait le poulet, signe qu'ils sont juifs.
5. *San-benito* : vêtement que portaient les condamnés.
6. *En faux-bourdon* : chantée à une voix sur un accompagnement d'orgue.
7. *Interdit* : muet de stupeur.

fessé, je l'ai été chez les Bulgares ; mais, ô mon cher Pangloss, le plus grand des philosophes, faut-il vous avoir vu pendre, sans que je sache
30 pourquoi ! ô mon cher anabaptiste, le meilleur des hommes, faut-il que vous ayez été noyé dans le port ! ô mademoiselle Cunégonde ! la perle des filles, faut-il qu'on vous ait fendu le ventre ! »

Il s'en retournait, se soutenant à peine, prêché, fessé, absous[1] et béni, lorsqu'une vieille l'aborda, et lui dit : « Mon fils, prenez cou-
35 rage, suivez-moi. »

Chapitre 7
Comment une vieille prit soin de Candide, et comment il retrouva ce qu'il aimait

Candide ne prit point courage, mais il suivit la vieille dans une masure[2] : elle lui donna un pot de pommade pour se frotter, lui laissa à manger et à boire ; elle lui montra un petit lit assez propre ; il y avait auprès du lit un habit complet. « Mangez, buvez, dormez, lui
5 dit-elle, et que Notre-Dame d'Atocha, monseigneur saint Antoine de Padoue, et monseigneur saint Jacques de Compostelle prennent soin de vous ! je reviendrai demain. » Candide, toujours étonné de tout ce qu'il avait vu, de tout ce qu'il avait souffert, et encore plus de la charité de la vieille, voulut lui baiser la main. « Ce n'est pas ma main
10 qu'il faut baiser, dit la vieille ; je reviendrai demain. Frottez-vous de pommade, mangez et dormez. »

Candide, malgré tant de malheurs, mangea et dormit. Le lendemain la vieille lui apporte à déjeuner, visite son dos, le frotte elle-même d'une autre pommade ; elle lui apporte ensuite à dîner ;
15 elle revient sur le soir et apporte à souper. Le surlendemain elle fit

Vocabulaire
1. *Absous* : acquitté. **2.** *Masure* : maisonnette vétuste et misérable.

encore les mêmes cérémonies. « Qui êtes-vous ? lui disait toujours Candide ; qui vous a inspiré tant de bonté ? quelles grâces puis-je vous rendre ? » La bonne femme ne répondait jamais rien. Elle revint sur le soir, et n'apporta point à souper : « Venez avec moi, dit-elle,
20 et ne dites mot. » Elle le prend sous le bras, et marche avec lui dans la campagne environ un quart de mille : ils arrivent à une maison isolée, entourée de jardins et de canaux. La vieille frappe à une petite porte. On ouvre ; elle mène Candide, par un escalier dérobé, dans un cabinet doré, le laisse sur un canapé de brocart**¹**, referme la porte, et
25 s'en va. Candide croyait rêver, et regardait toute sa vie comme un songe funeste**²**, et le moment présent comme un songe agréable.

La vieille reparut bientôt ; elle soutenait avec peine une femme tremblante, d'une taille majestueuse, brillante de pierreries, et couverte d'un voile. « Ôtez ce voile, dit la vieille à Candide. » Le jeune
30 homme approche ; il lève le voile d'une main timide. Quel moment ! quelle surprise ! il croit voir M^lle Cunégonde ; il la voyait en effet, c'était elle-même. La force lui manque, il ne peut proférer une parole, il tombe à ses pieds. Cunégonde tombe sur le canapé. La vieille les accable d'eaux spiritueuses**³**, ils reprennent leurs sens, ils se parlent ;
35 ce sont d'abord des mots entrecoupés, des demandes et des réponses qui se croisent, des soupirs, des larmes, des cris. La vieille leur recommande de faire moins de bruit, et les laisse en liberté. « Quoi ! c'est vous, lui dit Candide, vous vivez ! je vous retrouve en Portugal ! On ne vous a donc pas violée ? On ne vous a point fendu le ventre,
40 comme le philosophe Pangloss me l'avait assuré ? – Si fait, dit la belle Cunégonde ; mais on ne meurt pas toujours de ces deux accidents. – Mais votre père et votre mère ont-ils été tués ? – Il n'est que trop vrai, dit Cunégonde en pleurant. – Et votre frère ? – Mon frère a été tué aussi. – Et pourquoi êtes-vous en Portugal ? et comment avez-vous su

Vocabulaire
1. *Brocart* : tissu brodé.
2. *Funeste* : macabre, porteur de mort.

3. *Les accable d'eaux spiritueuses* : leur donne avec excès une liqueur à fort taux d'alcool.

45 que j'y étais ? et par quelle étrange aventure m'avez-vous fait conduire dans cette maison ? – Je vous dirai tout cela, répliqua la dame ; mais il faut auparavant que vous m'appreniez tout ce qui vous est arrivé depuis le baiser innocent que vous me donnâtes, et les coups de pied que vous reçûtes. »

50 Candide lui obéit avec un profond respect ; et quoiqu'il fût interdit, quoique sa voix fût faible et tremblante, quoique l'échine[1] lui fît encore un peu mal, il lui raconta de la manière la plus naïve tout ce qu'il avait éprouvé depuis le moment de leur séparation. Cunégonde levait les yeux au ciel : elle donna des larmes à la mort du bon ana-
55 baptiste et de Pangloss ; après quoi elle parla en ces termes à Candide, qui ne perdait pas une parole, et qui la dévorait des yeux.

Chapitre 8
Histoire de Cunégonde

« J'étais dans mon lit et je dormais profondément, quand il plut au ciel d'envoyer les Bulgares dans notre beau château de Thunder-ten-tronckh ; ils égorgèrent mon père et mon frère, et coupèrent ma mère par morceaux. Un grand Bulgare, haut de six pieds, voyant
5 qu'à ce spectacle j'avais perdu connaissance, se mit à me violer ; cela me fit revenir, je repris mes sens, je criai, je me débattis, je mordis, j'égratignai, je voulais arracher les yeux à ce grand Bulgare, ne sachant pas que tout ce qui arrivait dans le château de mon père était une chose d'usage : le brutal me donna un coup de couteau dans le
10 flanc gauche dont je porte encore la marque. – Hélas ! j'espère bien la voir, dit le naïf Candide. – Vous la verrez, dit Cunégonde ; mais continuons. – Continuez », dit Candide.

Vocabulaire
1. *L'échine :* le dos.

Elle reprit ainsi le fil de son histoire : « Un capitaine bulgare entra, il me vit toute sanglante, et le soldat ne se dérangeait pas. Le
15 capitaine se mit en colère du peu de respect que lui témoignait ce brutal, et le tua sur mon corps. Ensuite il me fit panser, et m'emmena prisonnière de guerre dans son quartier[1]. Je blanchissais le peu de chemises qu'il avait, je faisais sa cuisine ; il me trouvait fort jolie, il faut l'avouer ; et je ne nierai pas qu'il ne fût très bien fait, et qu'il
20 n'eût la peau blanche et douce ; d'ailleurs peu d'esprit, peu de philosophie : on voyait bien qu'il n'avait pas été élevé par le docteur Pangloss. Au bout de trois mois, ayant perdu tout son argent, et s'étant dégoûté de moi, il me vendit à un Juif nommé don Issachar, qui trafiquait en Hollande et en Portugal, et qui aimait passionné-
25 ment les femmes. Ce Juif s'attacha beaucoup à ma personne, mais il ne pouvait en triompher ; je lui ai mieux résisté qu'au soldat bulgare : une personne d'honneur peut être violée une fois, mais sa vertu s'en affermit. Le Juif, pour m'apprivoiser, me mena dans cette maison de campagne que vous voyez. J'avais cru jusque-là qu'il n'y avait rien
30 sur la terre de si beau que le château de Thunder-ten-tronckh ; j'ai été détrompée.

« Le grand inquisiteur[2] m'aperçut un jour à la messe ; il me lorgna[3] beaucoup, et me fit dire qu'il avait à me parler pour des affaires secrètes. Je fus conduite à son palais ; je lui appris ma naissance ; il
35 me représenta combien il était au-dessous de mon rang d'appartenir à un Israélite. On proposa de sa part à don Issachar de me céder à monseigneur. Don Issachar, qui est le banquier de la cour, et homme de crédit, n'en voulut rien faire. L'inquisiteur le menaça d'un auto-da-fé. Enfin mon Juif, intimidé, conclut un marché par lequel la
40 maison et moi leur appartiendraient à tous deux en commun ; que

Vocabulaire
1. *Son quartier* : sa caserne.
2. *Grand inquisiteur* : degré le plus haut dans la hiérarchie de l'Inquisition. Les grands inquisiteurs étaient choisis par le pape.
3. *Lorgna* : dévisagea.

le Juif aurait pour lui les lundis, mercredis, et le jour du sabbat, et
que l'inquisiteur aurait les autres jours de la semaine. Il y a six mois
que cette convention subsiste. Ce n'a pas été sans querelles ; car
souvent il a été indécis si la nuit du samedi au dimanche apparte-
45 nait à l'ancienne loi ou à la nouvelle. Pour moi, j'ai résisté jusqu'à
présent à toutes les deux ; et je crois que c'est pour cette raison que
j'ai toujours été aimée.

 « Enfin, pour détourner le fléau des tremblements de terre, et
pour intimider don Issachar, il plut à monseigneur l'inquisiteur de
50 célébrer un auto-da-fé. Il me fit l'honneur de m'y inviter. Je fus très
bien placée ; on servit aux dames des rafraîchissements entre la messe
et l'exécution. Je fus, à la vérité, saisie d'horreur en voyant brûler ces
deux Juifs et cet honnête Biscayen qui avait épousé sa commère ; mais
quelle fut ma surprise, mon effroi, mon trouble, quand je vis, dans
55 un san-benito et sous une mitre, une figure qui ressemblait à celle
de Pangloss ! Je me frottai les yeux, je regardai attentivement, je le
vis pendre ; je tombai en faiblesse. À peine reprenais-je mes sens que
je vous vis dépouillé tout nu ; ce fut là le comble de l'horreur, de la
consternation, de la douleur, du désespoir. Je vous dirai, avec vérité,
60 que votre peau est encore plus blanche, et d'un incarnat[1] plus parfait
que celle de mon capitaine des Bulgares. Cette vue redoubla tous les
sentiments qui m'accablaient, qui me dévoraient. Je m'écriai, je vou-
lus dire : "Arrêtez, barbares !" mais la voix me manqua, et mes cris
auraient été inutiles. Quand vous eûtes été bien fessé : « Comment
65 se peut-il faire, disais-je, que l'aimable Candide et le sage Pangloss se
trouvent à Lisbonne, l'un pour recevoir cent coups de fouet, et l'autre
pour être pendu par l'ordre de monseigneur l'inquisiteur, dont je suis
la bien-aimée ? Pangloss m'a donc bien cruellement trompée, quand
il me disait que tout va le mieux du monde ! »

70 « Agitée, éperdue, tantôt hors de moi-même, et tantôt prête de

Vocabulaire
1. *Incarnat :* couleur chair, rose clair.

mourir de faiblesse, j'avais la tête remplie du massacre de mon père, de ma mère, de mon frère, de l'insolence de mon vilain soldat bulgare, du coup de couteau qu'il me donna, de ma servitude, de mon métier de cuisinière, de mon capitaine bulgare, de mon vilain don
75 Issachar, de mon abominable inquisiteur, de la pendaison du docteur Pangloss, de ce grand *miserere*[1] en faux-bourdon pendant lequel on vous fessait, et surtout du baiser que je vous avais donné derrière un paravent, le jour que je vous avais vu pour la dernière fois. Je louai Dieu, qui vous ramenait à moi par tant d'épreuves. Je recommandai
80 à ma vieille d'avoir soin de vous, et de vous amener ici dès qu'elle le pourrait. Elle a très bien exécuté ma commission ; j'ai goûté le plaisir inexprimable de vous revoir, de vous entendre, de vous parler. Vous devez avoir une faim dévorante ; j'ai grand appétit ; commençons par souper.

85 Les voilà qui se mettent tous deux à table ; et, après le souper, ils se replacent sur ce beau canapé dont on a déjà parlé ; ils y étaient quand le signor don Issachar, l'un des maîtres de la maison, arriva. C'était le jour du sabbat. Il venait jouir de ses droits, et expliquer son tendre amour.

Chapitre 9
Ce qui advint de Cunégonde, de Candide, d'un grand inquisiteur et d'un Juif

Cet Issachar était le plus colérique Hébreu qu'on eût vu dans Israël, depuis la captivité en Babylone. « Quoi ! dit-il, chienne de Galiléenne[2], ce n'est pas assez de monsieur l'inquisiteur ? Il faut que ce coquin partage aussi avec moi ? » En disant cela il tire un

Vocabulaire et nom propre
1. *Miserere :* chant religieux qui implore la pitié divine.

2. *Galiléenne :* chrétienne, de Galilée, en Palestine, où le Christ est né.

5 long poignard dont il était toujours pourvu, et, ne croyant pas que son adverse partie eût des armes, il se jette sur Candide ; mais notre bon Westphalien avait reçu une belle épée de la vieille avec l'habit complet. Il tire son épée, quoiqu'il eût les mœurs fort douces, et vous étend l'Israélite roide mort sur le carreau, aux pieds de la belle
10 Cunégonde.

« Sainte Vierge ! s'écria-t-elle, qu'allons-nous devenir ? un homme tué chez moi ! si la justice vient, nous sommes perdus. – Si Pangloss n'avait pas été pendu, dit Candide, il nous donnerait un bon conseil dans cette extrémité, car c'était un grand philosophe. À son défaut,
15 consultons la vieille. » Elle était fort prudente, et commençait à dire son avis quand une autre petite porte s'ouvrit. Il était une heure après minuit, c'était le commencement du dimanche. Ce jour appartenait à monseigneur l'inquisiteur. Il entre et voit le fessé Candide, l'épée à la main, un mort étendu par terre, Cunégonde effarée, et la vieille
20 donnant des conseils.

Voici dans ce moment ce qui se passa dans l'âme de Candide, et comment il raisonna : « Si ce saint homme appelle du secours, il me fera infailliblement brûler, il pourra en faire autant de Cunégonde ; il m'a fait fouetter impitoyablement ; il est mon rival ; je suis en
25 train de tuer ; il n'y a pas à balancer[1]. » Ce raisonnement fut net et rapide ; et, sans donner le temps à l'inquisiteur de revenir de sa surprise, il le perce d'outre en outre[2], et le jette à côté du Juif. « En voici bien d'une autre, dit Cunégonde ; il n'y a plus de rémission[3] ; nous sommes excommuniés[4], notre dernière heure est venue ! Comment
30 avez-vous fait, vous qui êtes né si doux, pour tuer en deux minutes un Juif et un prélat[5] ? – Ma belle demoiselle, répondit Candide,

Vocabulaire

1. *Balancer :* hésiter.
2. *D'outre en outre :* de part en part.
3. *Rémission :* grâce par laquelle on pardonne les péchés.
4. *Excommuniés :* exclus de la communauté catholique.
5. *Prélat :* ecclésiastique de haut rang, comme l'est l'inquisiteur.

quand on est amoureux, jaloux, et fouetté par l'Inquisition, on ne se connaît plus. »

La vieille prit alors la parole, et dit : « Il y a trois chevaux andalous
35 dans l'écurie, avec leurs selles et leurs brides : que le brave Candide les prépare ; madame a des moyadors[1] et des diamants, montons vite à cheval, quoique je ne puisse me tenir que sur une fesse, et allons à Cadix ; il fait le plus beau temps du monde, et c'est un grand plaisir de voyager pendant la fraîcheur de la nuit. »

40 Aussitôt Candide selle les trois chevaux ; Cunégonde, la vieille et lui font trente milles[2] d'une traite. Pendant qu'ils s'éloignaient, la sainte hermandad[3] arrive dans la maison, on enterre monseigneur dans une belle église, on jette Issachar à la voirie.

Candide, Cunégonde, et la vieille, étaient déjà dans la petite ville
45 d'Avacéna, au milieu des montagnes de la Sierra-Morena ; et ils parlaient ainsi dans un cabaret.

Chapitre 10
Dans quelle détresse Candide, Cunégonde et la vieille arrivent à Cadix, et de leur embarquement

« Qui a donc pu me voler mes pistoles[4] et mes diamants ? disait en pleurant Cunégonde ; de quoi vivrons-nous ? comment ferons-nous ? où trouver des inquisiteurs et des Juifs qui m'en donnent d'autres ? – Hélas ! dit la vieille, je soupçonne fort un révérend père
5 cordelier, qui coucha hier dans la même auberge que nous à Badajos ; Dieu me garde de faire un jugement téméraire ! mais il entra deux

Vocabulaire
1. *Moyador :* monnaie portugaise.
2. *Mille :* mesure ancienne équivalant à environ 1 500 mètres.
3. *Sainte hermandad :* milice espagnole chargée de la sécurité publique.
4. *Pistoles :* pièces d'or.

fois dans notre chambre, et il partit longtemps avant nous. – Hélas ! dit Candide, le bon Pangloss m'avait souvent prouvé que les biens de la terre sont communs à tous les hommes, que chacun y a un
10 droit égal. Ce cordelier devait bien, suivant ces principes, nous laisser de quoi achever notre voyage. Il ne vous reste donc rien du tout, ma belle Cunégonde ? – Pas un maravédis[1], dit-elle. – Quel parti prendre ? dit Candide. – Vendons un des chevaux, dit la vieille ; je monterai en croupe derrière mademoiselle, quoique je ne puisse me
15 tenir que sur une fesse, et nous arriverons à Cadix. »

Il y avait dans la même hôtellerie un prieur de bénédictins[2] ; il acheta le cheval bon marché. Candide, Cunégonde, et la vieille, passèrent par Lucena, par Chillas, par Lebrixa, et arrivèrent enfin à Cadix. On y équipait une flotte, et on y assemblait des troupes pour
20 mettre à la raison les révérends pères jésuites[3] du Paraguay, qu'on accusait d'avoir fait révolter une de leurs hordes contre les rois d'Espagne et de Portugal, auprès de la ville du Saint-Sacrement. Candide, ayant servi chez les Bulgares, fit l'exercice bulgarien devant le général de la petite armée avec tant de grâce, de célérité[4], d'adresse, de fierté,
25 d'agilité, qu'on lui donna une compagnie d'infanterie à commander. Le voilà capitaine ; il s'embarque avec mademoiselle Cunégonde, la vieille, deux valets et les deux chevaux andalous qui avaient appartenu à M. le grand inquisiteur de Portugal.

Pendant toute la traversée ils raisonnèrent beaucoup sur la phi-
30 losophie du pauvre Pangloss. « Nous allons dans un autre univers, disait Candide ; c'est dans celui-là, sans doute, que tout est bien : car il faut avouer qu'on pourrait gémir un peu de ce qui se passe dans le nôtre en physique et en morale. – Je vous aime de tout mon

Vocabulaire
1. *Maravédis* : pièce espagnole en cuivre.
2. *Prieur de bénédictins* : supérieur d'un couvent de bénédictins, de l'ordre de saint Benoît.
3. *Jésuites* : religieux de l'ordre de

la Compagnie de Jésus. Les jésuites avaient constitué au Paraguay une république indépendante d'Indiens, rebelles à l'Espagne.
4. *Célérité* : rapidité.

cœur, disait Cunégonde ; mais j'ai encore l'âme tout effarouchée
35 de ce que j'ai vu, de ce que j'ai éprouvé. – Tout ira bien, répliquait
Candide ; la mer de ce nouveau monde vaut déjà mieux que les
mers de notre Europe ; elle est plus calme, les vents plus constants.
C'est certainement le Nouveau-Monde qui est le meilleur des uni-
vers possibles. – Dieu le veuille ! disait Cunégonde ; mais j'ai été si
40 horriblement malheureuse dans le mien que mon cœur est presque
fermé à l'espérance. – Vous vous plaignez, leur dit la vieille ; hélas !
vous n'avez pas éprouvé des infortunes telles que les miennes. »
Cunégonde se mit presque à rire, et trouva cette bonne femme fort
plaisante de prétendre être plus malheureuse qu'elle. « Hélas ! lui
45 dit-elle, ma bonne, à moins que vous n'ayez été violée par deux
Bulgares, que vous n'ayez reçu deux coups de couteau dans le ventre,
qu'on n'ait démoli deux de vos châteaux, qu'on n'ait égorgé à vos
yeux deux mères et deux pères, et que vous n'ayez vu deux de vos
amants fouettés dans un auto-da-fé, je ne vois pas que vous puissiez
50 l'emporter sur moi ; ajoutez que je suis née baronne avec soixante et
douze quartiers, et que j'ai été cuisinière. – Mademoiselle, répondit
la vieille, vous ne savez pas quelle est ma naissance ; et si je vous
montrais mon derrière, vous ne parleriez pas comme vous faites, et
vous suspendriez votre jugement. » Ce discours fit naître une extrême
55 curiosité dans l'esprit de Cunégonde et de Candide. La vieille leur
parla en ces termes.

Chapitre 11
Histoire de la vieille

Je n'ai pas eu toujours les yeux éraillés[1] et bordés d'écarlate ; mon
nez n'a pas toujours touché à mon menton, et je n'ai pas toujours

Vocabulaire
1. *Éraillés :* fatigués.

été servante. Je suis la fille du pape Urbain X[1] et de la princesse de Palestrine[2]. On m'éleva jusqu'à quatorze ans dans un palais auquel
5 tous les châteaux de vos barons allemands n'auraient pas servi d'écurie ; et une de mes robes valait mieux que toutes les magnificences de la Westphalie. Je croissais en beauté, en grâces, en talents, au milieu des plaisirs, des respects, et des espérances : j'inspirais déjà de l'amour ; ma gorge se formait ; et quelle gorge ! blanche, ferme,
10 taillée comme celle de la Vénus de Médicis ; et quels yeux ! quelles paupières ! quels sourcils noirs ! quelles flammes brillaient dans mes deux prunelles, et effaçaient la scintillation des étoiles ! comme me disaient les poètes du quartier. Les femmes qui m'habillaient et qui me déshabillaient tombaient en extase en me regardant par-devant
15 et par-derrière ; et tous les hommes auraient voulu être à leur place.

« Je fus fiancée à un prince souverain de Massa-Carrara[3] : quel prince ! aussi beau que moi, pétri de douceur et d'agréments, brillant d'esprit et brûlant d'amour ; je l'aimais comme on aime pour la première fois, avec idolâtrie, avec emportement. Les noces furent
20 préparées : c'était une pompe[4], une magnificence inouïe ; c'étaient des fêtes, des carrousels[5], des opera-buffa[6] continuels ; et toute l'Italie fit pour moi des sonnets dont il n'y eut pas un seul de passable. Je touchais au moment de mon bonheur, quand une vieille marquise, qui avait été maîtresse de mon prince, l'invita à prendre du chocolat
25 chez elle : il mourut en moins de deux heures avec des convulsions épouvantables ; mais ce n'est qu'une bagatelle. Ma mère, au désespoir, et bien moins affligée que moi, voulut s'arracher pour quelque temps à un séjour si funeste. Elle avait une très belle terre auprès de Gaïète[7] : nous nous embarquâmes sur une galère du pays, dorée

Vocabulaire, traduction et noms propres

1. *Urbain X :* pape imaginaire, inventé par Voltaire.
2. *Palestrine :* ville du Latium, proche de Rome.
3. *Massa-Carrara :* province italienne, en Toscane.

4. *Une pompe :* un déploiement de luxe et de richesse.
5. *Carrousels :* parades de chevaux.
6. *Opera-buffa :* opéra-bouffe, genre d'opéra au sujet comique.
7. *Gaïète :* port au sud de Rome.

30 comme l'autel de Saint-Pierre de Rome. Voilà qu'un corsaire de Salé[1]
fond sur nous et nous aborde ; nos soldats se défendirent comme des
soldats du pape : ils se mirent tous à genoux en jetant leurs armes, et
en demandant au corsaire une absolution *in articulo mortis*[2].

35 « Aussitôt on les dépouilla nus comme des singes, et ma mère
aussi, nos filles d'honneur aussi, et moi aussi. C'est une chose admi-
rable que la diligence[3] avec laquelle ces messieurs déshabillent le
monde ; mais ce qui me surprit davantage, c'est qu'ils nous mirent
à tous le doigt dans un endroit où nous autres femmes nous ne nous
laissons mettre d'ordinaire que des canules[4]. Cette cérémonie me
40 paraissait bien étrange : voilà comme on juge de tout quand on n'est
pas sorti de son pays. J'appris bientôt que c'était pour voir si nous
n'avions pas caché là quelques diamants ; c'est un usage établi de
temps immémorial[5] parmi les nations policées[6] qui courent sur mer.
J'ai su que messieurs les religieux chevaliers de Malte[7] n'y manquent
45 jamais quand ils prennent des Turcs et des Turques ; c'est une loi du
droit des gens à laquelle on n'a jamais dérogé[8].

« Je ne vous dirai point combien il est dur pour une jeune prin-
cesse d'être menée esclave à Maroc avec sa mère : vous concevez
assez tout ce que nous eûmes à souffrir dans le vaisseau corsaire.
50 Ma mère était encore très belle ; nos filles d'honneur, nos simples
femmes de chambre avaient plus de charmes qu'on n'en peut trouver
dans toute l'Afrique ; pour moi, j'étais ravissante, j'étais la beauté,
la grâce même, et j'étais pucelle ; je ne le fus pas longtemps : cette

Vocabulaire et traduction

1. *Salé* : port du Maroc célèbre pour ses corsaires.
2. *In articulo mortis* : à l'article de la mort.
3. *Diligence* : rapidité.
4. *Canules* : petits tuyaux utilisés pour des lavements.
5. *De temps immémorial* : d'une époque si lointaine qu'on ne peut s'en souvenir de mémoire d'homme.

6. *Policées* : civilisées.
7. *Chevaliers de Malte* : ordre mi-litaire et religieux regroupant des moines soldats chargés de défendre les pèlerins qui se rendent en Terre sainte contre les musulmans.
8. *Dérogé* : désobéi.

fleur, qui avait été réservée pour le beau prince de Massa-Carrara,
55 me fut ravie par le capitaine corsaire ; c'était un nègre abominable,
qui croyait encore me faire beaucoup d'honneur. Certes il fallait que
Mme la princesse de Palestrine et moi fussions bien fortes pour résis-
ter à tout ce que nous éprouvâmes jusqu'à notre arrivée à Maroc !
Mais passons ; ce sont des choses si communes, qu'elles ne valent
60 pas la peine qu'on en parle.

« Maroc nageait dans le sang quand nous arrivâmes. Cinquante
fils de l'empereur Mulei Ismael avaient chacun leur parti : ce qui
produisait en effet cinquante guerres civiles, de noirs contre noirs,
de noirs contre basanés, de basanés contre basanés, de mulâtres
65 contre mulâtres[1]. C'était un carnage continuel dans toute l'étendue
de l'empire.

« À peine fûmes-nous débarquées, que des noirs d'une faction
ennemie[2] de celle de mon corsaire se présentèrent pour lui enlever
son butin. Nous étions, après les diamants et l'or, ce qu'il avait de
70 plus précieux. Je fus témoin d'un combat tel que vous n'en voyez
jamais dans vos climats d'Europe. Les peuples septentrionaux[3] n'ont
pas le sang assez ardent ; ils n'ont pas la rage des femmes au point
où elle est commune en Afrique. Il semble que vos Européens aient
du lait dans les veines ; c'est du vitriol[4], c'est du feu qui coule dans
75 celles des habitants du mont Atlas et des pays voisins. On combattit
avec la fureur des lions, des tigres, et des serpents de la contrée, pour
savoir qui nous aurait. Un Maure saisit ma mère par le bras droit, le
lieutenant de mon capitaine la retint par le bras gauche ; un soldat
maure la prit par une jambe, un de nos pirates la tenait par l'autre.
80 Nos filles se trouvèrent presque toutes en un moment tirées ainsi à
quatre soldats. Mon capitaine me tenait cachée derrière lui ; il avait

Vocabulaire
1. *Mulâtres* : métis nés d'un parent blanc et d'un autre noir.
2. *Une faction ennemie* : un camp ennemi.
3. *Septentrionaux* : du Nord.
4. *Vitriol* : acide sulfurique.

le cimeterre[1] au poing, et tuait tout ce qui s'opposait à sa rage. Enfin je vis toutes nos Italiennes et ma mère déchirées, coupées, massacrées par les monstres qui se les disputaient. Les captifs, mes compagnons, ceux qui les avaient pris, soldats, matelots, noirs, basanés, blancs, mulâtres, et enfin mon capitaine, tout fut tué, et je demeurai mourante sur un tas de morts. Des scènes pareilles se passaient, comme on sait, dans l'étendue de plus de trois cents lieues, sans qu'on manquât aux cinq prières par jour ordonnées par Mahomet.

« Je me débarrassai avec beaucoup de peine de la foule de tant de cadavres sanglants entassés, et je me traînai sous un grand oranger au bord d'un ruisseau voisin ; j'y tombai d'effroi, de lassitude, d'horreur, de désespoir, et de faim. Bientôt après, mes sens accablés se livrèrent à un sommeil qui tenait plus de l'évanouissement que du repos. J'étais dans cet état de faiblesse et d'insensibilité, entre la mort et la vie, quand je me sentis pressée de quelque chose qui s'agitait sur mon corps ; j'ouvris les yeux, je vis un homme blanc et de bonne mine qui soupirait, et qui disait entre ses dents : *O che sciagura d'essere senza coglioni*[2] !

Chapitre 12
Suite des malheurs de la vieille

« Étonnée et ravie d'entendre la langue de ma patrie, et non moins surprise des paroles que proférait cet homme, je lui répondis qu'il y avait de plus grands malheurs que celui dont il se plaignait ; je l'instruisis en peu de mots des horreurs que j'avais essuyées, et je

Vocabulaire et traduction
1. *Cimeterre* : sabre oriental large et courbé.

2. *O che sciagura d'essere senza coglioni !* : ô quel malheur d'être sans couilles !

5 retombai en faiblesse. Il m'emporta dans une maison voisine, me fit mettre au lit, me fit donner à manger, me servit, me consola, me flatta, me dit qu'il n'avait rien vu de si beau que moi, et que jamais il n'avait tant regretté ce que personne ne pouvait lui rendre. « Je suis né à Naples, me dit-il ; on y chaponne[1] deux ou trois mille
10 enfants tous les ans ; les uns en meurent, les autres acquièrent une voix plus belle que celle des femmes, les autres vont gouverner des États. On me fit cette opération avec un très grand succès, et j'ai été musicien de la chapelle de Mme la princesse de Palestrine. – De ma mère ! m'écriai-je. – De votre mère ! s'écria-t-il en pleurant : quoi !
15 vous seriez cette jeune princesse que j'ai élevée jusqu'à l'âge de six ans, et qui promettait déjà d'être aussi belle que vous êtes ? – C'est moi-même ; ma mère est à quatre cents pas d'ici coupée en quartiers sous un tas de morts... »

« Je lui contai tout ce qui m'était arrivé ; il me conta aussi ses aven-
20 tures, et m'apprit comment il avait été envoyé chez le roi de Maroc par une puissance chrétienne, pour conclure avec ce monarque un traité par lequel on lui fournirait de la poudre, des canons et des vais-seaux, pour l'aider à exterminer le commerce des autres chrétiens. « Ma mission est faite, dit cet honnête eunuque[2] ; je vais m'embar-
25 quer à Ceuta[3], et je vous ramènerai en Italie. *Ma che sciagura d'essere senza coglioni !* »

« Je le remerciai avec des larmes d'attendrissement ; et au lieu de me mener en Italie, il me conduisit à Alger, et me vendit au dey[4] de cette province. À peine fus-je vendue, que cette peste qui a fait le
30 tour de l'Afrique, de l'Asie, de l'Europe, se déclara dans Alger avec fureur. Vous avez vu des tremblements de terre ; mais, mademoiselle, avez-vous jamais eu la peste ?

Vocabulaire et nom propre

1. *Chaponne :* châtre, castre. À Naples, on castrait des jeunes garçons (qui devenaient castrats) pour qu'ils ne muent pas et conservent une voix pure.

2. *Eunuque :* homme castré chargé de surveiller les femmes d'un harem.
3. *Ceuta :* port des côtes marocaines appartenant à l'Espagne.
4. *Dey :* gouverneur d'Alger.

– Jamais, répondit la baronne.

– Si vous l'aviez eue, reprit la vieille, vous avoueriez qu'elle est
35 bien au-dessus d'un tremblement de terre. Elle est fort commune
en Afrique ; j'en fus attaquée. Figurez-vous quelle situation pour la
fille d'un pape, âgée de quinze ans, qui en trois mois de temps avait
éprouvé la pauvreté, l'esclavage, avait été violée presque tous les jours,
avait vu couper sa mère en quatre, avait essuyé la faim et la guerre, et
40 mourait pestiférée[1] dans Alger ! Je n'en mourus pourtant pas ; mais
mon eunuque et le dey, et presque tout le sérail[2] d'Alger périrent.

« Quand les premiers ravages de cette épouvantable peste furent
passés, on vendit les esclaves du dey. Un marchand m'acheta et me
mena à Tunis ; il me vendit à un autre marchand qui me revendit à
45 Tripoli ; de Tripoli je fus revendue à Alexandrie, d'Alexandrie reven-
due à Smyrne ; de Smyrne à Constantinople. J'appartins enfin à un
aga[3] des janissaires[4], qui fut bientôt commandé pour aller défendre
Azof contre les Russes qui l'assiégeaient.

« L'aga, qui était un très galant homme, mena avec lui tout son
50 sérail, et nous logea dans un petit fort sur les Palus-Méotides[5], gardé
par deux eunuques noirs et vingt soldats. On tua prodigieusement
de Russes, mais ils nous le rendirent bien : Azof fut mis à feu et à
sang, et on ne pardonna ni au sexe, ni à l'âge ; il ne resta que notre
petit fort : les ennemis voulurent nous prendre par famine. Les vingt
55 janissaires avaient juré de ne se jamais rendre. Les extrémités de
la faim où ils furent réduits les contraignirent à manger nos deux
eunuques, de peur de violer leur serment. Au bout de quelques jours
ils résolurent de manger les femmes.

« Nous avions un iman[6] très pieux et très compatissant, qui leur fit

Vocabulaire, traduction et nom propre

1. *Pestiférée* : atteinte de la peste.
2. *Sérail* : harem dans le palais d'un sultan.
3. *Aga* : chef à la cour d'un sultan.
4. *Janissaires* : soldats d'élite de la garde d'un sultan.

5. *Palus-Méotides* : nom latin de la mer d'Azov qui borde l'Ukraine et la Russie.
6. *Iman* : imam, chef religieux musulman.

60 un beau sermon par lequel il leur persuada de ne nous pas tuer tout
à fait. « Coupez, dit-il, seulement une fesse à chacune de ces dames,
vous ferez très bonne chère[1] ; s'il faut y revenir, vous en aurez encore
autant dans quelques jours ; le ciel vous saura gré d'une action si
charitable, et vous serez secourus. »

65 « Il avait beaucoup d'éloquence ; il les persuada. On nous fit cette
horrible opération ; l'iman nous appliqua le même baume qu'on met
aux enfants qu'on vient de circoncire. Nous étions toutes à la mort.

« À peine les janissaires eurent-ils fait le repas que nous leur avions
fourni, que les Russes arrivent sur des bateaux plats : pas un janissaire
70 ne réchappa. Les Russes ne firent aucune attention à l'état où nous
étions. Il y a partout des chirurgiens français ; un d'eux, qui était fort
adroit, prit soin de nous, il nous guérit, et je me souviendrai toute ma
vie que, quand mes plaies furent bien fermées, il me fit des proposi-
tions. Au reste, il nous dit à toutes de nous consoler ; il nous assura
75 que dans plusieurs sièges pareille chose était arrivée, et que c'était la
loi de la guerre.

« Dès que mes compagnes purent marcher, on les fit aller à
Moscou ; j'échus en partage[2] à un boïard[3] qui me fit sa jardinière,
et qui me donnait vingt coups de fouet par jour ; mais ce seigneur
80 ayant été roué[4] au bout de deux ans avec une trentaine de boïards
pour quelque tracasserie de cour, je profitai de cette aventure ; je
m'enfuis ; je traversai toute la Russie ; je fus longtemps servante
de cabaret à Riga, puis à Rostock, à Vismar, à Leipsick, à Cassel, à
Utrecht, à Leyde, à La Haye, à Rotterdam ; j'ai vieilli dans la misère
85 et dans l'opprobre[5], n'ayant que la moitié d'un derrière, me souve-
nant toujours que j'étais fille d'un pape ; je voulus cent fois me tuer,
mais j'aimais encore la vie. Cette faiblesse ridicule est peut-être un
de nos penchants les plus funestes : car y a-t-il rien de plus sot que

Vocabulaire

1. *Bonne chère :* un très bon repas.
2. *J'échus en partage :* je fus donnée.
3. *Boïard :* noble russe.
4. *Ayant été roué :* ayant subi le sup-
plice de la roue.
5. *Opprobre :* déshonneur, infamie.

de vouloir porter continuellement un fardeau qu'on veut toujours
jeter par terre ; d'avoir son être en horreur, et de tenir à son être ;
enfin de caresser le serpent qui nous dévore, jusqu'à ce qu'il nous
ait mangé le cœur ?

« J'ai vu dans les pays que le sort m'a fait parcourir, et dans les
cabarets où j'ai servi, un nombre prodigieux de personnes qui avaient
leur existence en exécration[1] ; mais je n'en ai vu que douze qui aient
mis volontairement fin à leur misère : trois nègres, quatre Anglais,
quatre Genevois, et un professeur allemand nommé Robeck. J'ai fini
par être servante chez le Juif don Issachar ; il me mit auprès de vous,
ma belle demoiselle ; je me suis attachée à votre destinée, et j'ai été
plus occupée de vos aventures que des miennes. Je ne vous aurais
même jamais parlé de mes malheurs, si vous ne m'aviez pas un peu
piquée[2], et s'il n'était d'usage, dans un vaisseau, de conter des his-
toires pour se désennuyer. Enfin, mademoiselle, j'ai de l'expérience,
je connais le monde ; donnez-vous un plaisir, engagez chaque pas-
sager à vous conter son histoire, et s'il s'en trouve un seul qui n'ait
souvent maudit sa vie, qui ne se soit souvent dit à lui-même qu'il
était le plus malheureux des hommes, jetez-moi dans la mer la tête
la première. »

Chapitre 13
Comment Candide fut obligé de se séparer de la belle Cunégonde et de la vieille

La belle Cunégonde, ayant entendu l'histoire de la vieille, lui
fit toutes les politesses qu'on devait à une personne de son rang
et de son mérite. Elle accepta la proposition ; elle engagea tous les
passagers, l'un après l'autre, à lui conter leurs aventures. Candide

Vocabulaire
1. *Exécration :* horreur, haine. **2.** *Piquée :* agacée, vexée.

5 et elle avouèrent que la vieille avait raison. « C'est bien dommage, disait Candide, que le sage Pangloss ait été pendu contre la coutume dans un auto-da-fé ; il nous dirait des choses admirables sur le mal physique et sur le mal moral qui couvrent la terre et la mer, et je me sentirais assez de force pour oser lui faire respectueusement quelques
10 objections. »

À mesure que chacun racontait son histoire, le vaisseau avançait. On aborda dans Buenos-Ayres. Cunégonde, le capitaine Candide et la vieille allèrent chez le gouverneur don Fernando d'Ibaraa, y Figueora, y Mascarenes, y Lampourdos, y Souza. Ce seigneur avait une fierté
15 convenable à un homme qui portait tant de noms. Il parlait aux hommes avec le dédain le plus noble, portant le nez si haut, élevant si impitoyablement la voix, prenant un ton si imposant, affectant une démarche si altière[1], que tous ceux qui le saluaient étaient tentés de le battre. Il aimait les femmes à la fureur. Cunégonde lui parut
20 ce qu'il avait jamais vu de plus beau. La première chose qu'il fit fut de demander si elle n'était point la femme du capitaine. L'air dont il fit cette question alarma Candide : il n'osa pas dire qu'elle était sa femme, parce qu'en effet elle ne l'était point ; il n'osait pas dire que c'était sa sœur, parce qu'elle ne l'était pas non plus ; et
25 quoique ce mensonge officieux eût été autrefois très à la mode chez les anciens, et qu'il pût être utile aux modernes, son âme était trop pure pour trahir la vérité. « Mademoiselle Cunégonde, dit-il, doit me faire l'honneur de m'épouser, et nous supplions votre excellence de daigner faire notre noce. »

30 Don Fernando d'Ibaraa, y Figueora, y Mascarenes, y Lampourdos, y Souza, relevant sa moustache, sourit amèrement, et ordonna au capitaine Candide d'aller faire la revue de sa compagnie. Candide obéit ; le gouverneur demeura avec Mⁱⁱᵉ Cunégonde. Il lui déclara sa passion, lui protesta que le lendemain il l'épouserait à la face de

Vocabulaire
1. *Altière :* hautaine.

35 l'Église, ou autrement, ainsi qu'il plairait à ses charmes. Cunégonde lui demanda un quart d'heure pour se recueillir, pour consulter la vieille, et pour se déterminer.

La vieille dit à Cunégonde : « Mademoiselle, vous avez soixante et douze quartiers et pas une obole[1] ; il ne tient qu'à vous d'être la
40 femme du plus grand seigneur de l'Amérique méridionale, qui a une très belle moustache ; est-ce à vous de vous piquer[2] d'une fidélité à toute épreuve ? Vous avez été violée par les Bulgares ; un Juif et un inquisiteur ont eu vos bonnes grâces : les malheurs donnent des droits. J'avoue que si j'étais à votre place, je ne ferais aucun scrupule
45 d'épouser monsieur le gouverneur, et de faire la fortune de monsieur le capitaine Candide. » Tandis que la vieille parlait avec toute la prudence que l'âge et l'expérience donnent, on vit entrer dans le port un petit vaisseau ; il portait un alcade[3] et des alguazils[4], et voici ce qui était arrivé.

50 La vieille avait très bien deviné que ce fut un cordelier à la grande manche qui vola l'argent et les bijoux de Cunégonde dans la ville de Badajos, lorsqu'elle fuyait en hâte avec Candide. Ce moine voulut vendre quelques-unes des pierreries à un joaillier. Le marchand les reconnut pour celles du grand inquisiteur. Le cordelier, avant d'être
55 pendu, avoua qu'il les avait volées : il indiqua les personnes, et la route qu'elles prenaient. La fuite de Cunégonde et de Candide était déjà connue. On les suivit à Cadix : on envoya, sans perdre de temps, un vaisseau à leur poursuite. Le vaisseau était déjà dans le port de Buenos-Ayres. Le bruit se répandit qu'un alcade allait débarquer, et
60 qu'on poursuivait les meurtriers de monseigneur le grand inquisiteur. La prudente vieille vit dans l'instant tout ce qui était à faire. « Vous ne pouvez fuir, dit-elle à Cunégonde, et vous n'avez rien à craindre : ce

Vocabulaire

1. *Pas une obole :* pas un sou.
2. *Piquer :* vanter.
3. *Alcade :* magistrat espagnol.
4. *Alguazils :* officiers de police espagnols.

n'est pas vous qui avez tué monseigneur, et d'ailleurs le gouverneur, qui vous aime, ne souffrira pas qu'on vous maltraite ; demeurez. » Elle
65 court sur-le-champ à Candide : « Fuyez, dit-elle, ou dans une heure vous allez être brûlé. » Il n'y avait pas un moment à perdre ; mais comment se séparer de Cunégonde, et où se réfugier ?

Chapitre 14
Comment Candide et Cacambo furent reçus
chez les jésuites du Paraguay

Candide avait amené de Cadix un valet tel qu'on en trouve beaucoup sur les côtes d'Espagne et dans les colonies. C'était un quart d'Espagnol, né d'un métis dans le Tucuman ; il avait été enfant de chœur, sacristain[1], matelot, moine, facteur[2], soldat, laquais. Il s'ap-
5 pelait Cacambo, et aimait fort son maître, parce que son maître était un fort bon homme. Il sella au plus vite les deux chevaux andalous. « Allons, mon maître, suivons le conseil de la vieille, partons, et courons sans regarder derrière nous. » Candide versa des larmes : « Ô ma chère Cunégonde ! faut-il vous abandonner dans le temps
10 que monsieur le gouverneur va faire nos noces ! Cunégonde amenée de si loin, que deviendrez-vous ? – Elle deviendra ce qu'elle pourra, dit Cacambo ; les femmes ne sont jamais embarrassées d'elles ; Dieu y pourvoit[3] ; courons. – Où me mènes-tu ? où allons-nous ? que ferons-nous sans Cunégonde ? disait Candide. – Par saint Jacques de
15 Compostelle, dit Cacambo, vous alliez faire la guerre aux jésuites ; allons la faire pour eux : je sais assez les chemins, je vous mènerai dans leur royaume, ils seront charmés d'avoir un capitaine qui fasse

Vocabulaire
1. *Sacristain :* employé chargé de l'entretien d'une église, qu'on appelle aussi bedeau.

2. *Facteur :* agent d'un comptoir de commerce.
3. *Y pourvoit :* s'en charge.

l'exercice à la bulgare ; vous ferez une fortune prodigieuse : quand on n'a pas son compte dans un monde, on le trouve dans un autre.
20 C'est un très grand plaisir de voir et de faire des choses nouvelles. – Tu as donc été déjà dans le Paraguay ? dit Candide. – Eh vraiment oui ! dit Cacambo ; j'ai été cuistre[1] dans le collège de l'Assomption, et je connais le gouvernement de los padres[2] comme je connais les rues de Cadix. C'est une chose admirable que ce gouvernement. Le
25 royaume a déjà plus de trois cents lieues de diamètre ; il est divisé en trente provinces. Los padres y ont tout, et les peuples rien ; c'est le chef-d'œuvre de la raison et de la justice. Pour moi, je ne vois rien de si divin que los padres, qui font ici la guerre au roi d'Espagne et au roi de Portugal, et qui en Europe confessent ces rois ; qui tuent
30 ici des Espagnols, et qui à Madrid les envoient au ciel ; cela me ravit ; avançons : vous allez être le plus heureux de tous les hommes. Quel plaisir auront los padres, quand ils sauront qu'il leur vient un capitaine qui sait l'exercice bulgare ! »

Dès qu'ils furent arrivés à la première barrière, Cacambo dit à la
35 garde avancée qu'un capitaine demandait à parler à monseigneur le commandant. On alla avertir la grande garde. Un officier paraguain[3] courut aux pieds du commandant lui donner part de la nouvelle. Candide et Cacambo furent d'abord désarmés ; on se saisit de leurs deux chevaux andalous. Les deux étrangers sont introduits au milieu
40 de deux files de soldats ; le commandant était au bout, le bonnet à trois cornes[4] en tête, la robe retroussée, l'épée au côté, l'esponton[5] à la main. Il fit un signe ; aussitôt vingt-quatre soldats entourent les deux nouveaux venus. Un sergent leur dit qu'il faut attendre, que le

Vocabulaire et traduction

1. *Cuistre :* valet d'une compagnie religieuse.
2. *Los padres :* les pères, c'est-à-dire les jésuites.
3. *Paraguain :* paraguayen, du Paraguay.

4. *Bonnet à trois cornes :* chapeau à trois cornes caractéristique des jésuites.
5. *Esponton :* arme en forme de demi-pique.

commandant ne peut leur parler, que le révérend père provincial ne
45 permet pas qu'aucun Espagnol ouvre la bouche qu'en sa présence,
et demeure plus de trois heures dans le pays. « Et où est le révérend
père provincial ? dit Cacambo. – Il est à la parade après avoir dit sa
messe, répondit le sergent, et vous ne pourrez baiser ses éperons que
dans trois heures. – Mais, dit Cacambo, monsieur le capitaine, qui
50 meurt de faim comme moi, n'est point Espagnol, il est Allemand ; ne
pourrions-nous point déjeuner en attendant sa révérence ? »

Le sergent alla sur-le-champ rendre compte de ce discours au com-
mandant. « Dieu soit béni ! dit ce seigneur, puisqu'il est Allemand,
je peux lui parler ; qu'on le mène dans ma feuillée[1]. » Aussitôt on
55 conduit Candide dans un cabinet de verdure, orné d'une très jolie
colonnade de marbre vert et or, et de treillages qui renfermaient des
perroquets, des colibris, des oiseaux-mouches, des pintades, et tous
les oiseaux les plus rares. Un excellent déjeuner était préparé dans
des vases d'or ; et tandis que les Paraguains mangèrent du maïs dans
60 des écuelles de bois, en plein champ, à l'ardeur du soleil, le révérend
père commandant entra dans la feuillée.

C'était un très beau jeune homme, le visage plein, assez blanc,
haut en couleur, le sourcil relevé, l'œil vif, l'oreille rouge, les lèvres
vermeilles, l'air fier, mais d'une fierté qui n'était ni celle d'un
65 Espagnol ni celle d'un jésuite. On rendit à Candide et à Cacambo
leurs armes, qu'on leur avait saisies, ainsi que les deux chevaux
andalous ; Cacambo leur fit manger l'avoine auprès de la feuillée,
ayant toujours l'œil sur eux, crainte de surprise.

Candide baisa d'abord le bas de la robe du commandant, ensuite
70 ils se mirent à table. « Vous êtes donc Allemand ? lui dit le jésuite
en cette langue. – Oui, mon révérend père », dit Candide. L'un et
l'autre, en prononçant ces paroles, se regardaient avec une extrême
surprise, et une émotion dont ils n'étaient pas les maîtres. « Et de

Vocabulaire
1. *Feuillée :* abri fait de branches et de feuilles.

quel pays d'Allemagne êtes-vous ? dit le jésuite. – De la sale province
75 de Westphalie, dit Candide ; je suis né dans le château de Thunder-
ten-tronckh. – Ô ciel ! est-il possible ! s'écria le commandant. – Quel
miracle ! s'écria Candide. – Serait-ce vous ? dit le commandant. – Cela
n'est pas possible, dit Candide. » Ils se laissent tomber tous deux
à la renverse, ils s'embrassent, ils versent des ruisseaux de larmes.
80 « Quoi ! serait-ce vous, mon révérend père ? vous, le frère de la belle
Cunégonde ! vous qui fûtes tué par les Bulgares ! vous, le fils de
monsieur le baron ! vous, jésuite au Paraguay ! Il faut avouer que ce
monde est une étrange chose. Ô Pangloss ! Pangloss ! que vous sériez
aise si vous n'aviez pas été pendu ! »

85 Le commandant fit retirer les esclaves nègres et les Paraguains qui
servaient à boire dans des gobelets de cristal de roche. Il remercia
Dieu et saint Ignace[1] mille fois ; il serrait Candide entre ses bras, leurs
visages étaient baignés de pleurs. « Vous seriez bien plus étonné, plus
attendri, plus hors de vous-même, dit Candide, si je vous disais que
90 M[lle] Cunégonde, votre sœur, que vous avez crue éventrée, est pleine
de santé. – Où ? – Dans votre voisinage, chez M. le gouverneur de
Buenos-Ayres ; et je venais pour vous faire la guerre. » Chaque mot
qu'ils prononcèrent dans cette longue conversation accumulait pro-
dige sur prodige. Leur âme tout entière volait sur leur langue, était
95 attentive dans leurs oreilles, et étincelante dans leurs yeux. Comme
ils étaient Allemands, ils tinrent table longtemps, en attendant le
révérend père provincial ; et le commandant parla ainsi à son cher
Candide.

Nom propre
1. *Saint Ignace :* saint Ignace de Loyola (1491-1556), fondateur de la Compagnie
de Jésus (l'ordre des jésuites).

Chapitre 15
Comment Candide tua le frère de sa chère Cunégonde

« J'aurai toute ma vie présent à la mémoire le jour horrible où je vis tuer mon père et ma mère, et violer ma sœur. Quand les Bulgares furent retirés, on ne trouva point cette sœur adorable, et on mit dans une charrette ma mère, mon père et moi, deux servantes et trois
5 petits garçons égorgés, pour nous aller enterrer dans une chapelle de jésuites, à deux lieues du château de mes pères. Un jésuite nous jeta de l'eau bénite ; elle était horriblement salée ; il en entra quelques gouttes dans mes yeux : le père s'aperçut que ma paupière faisait un petit mouvement : il mit la main sur mon cœur, et le sentit palpiter :
10 je fus secouru, et au bout de trois semaines il n'y paraissait pas. Vous savez, mon cher Candide, que j'étais fort joli ; je le devins encore davantage ; aussi le révérend père Croust, supérieur de la maison, prit pour moi la plus tendre amitié : il me donna l'habit de novice ; quelque temps après je fus envoyé à Rome. Le père général avait
15 besoin d'une recrue de jeunes jésuites allemands. Les souverains du Paraguay reçoivent le moins qu'ils peuvent de jésuites espagnols ; ils aiment mieux les étrangers, dont ils se croient plus maîtres. Je fus jugé propre par le révérend père général pour aller travailler dans cette vigne. Nous partîmes, un Polonais, un Tyrolien, et moi.
20 Je fus honoré, en arrivant, du sous-diaconat[1] et d'une lieutenance ; je suis aujourd'hui colonel et prêtre. Nous recevrons vigoureusement les troupes du roi d'Espagne ; je vous réponds qu'elles seront excommuniées et battues. La Providence vous envoie ici pour nous seconder. Mais est-il bien vrai que ma chère sœur Cunégonde soit
25 dans le voisinage, chez le gouverneur de Buenos-Ayres ? » Candide l'assura par serment que rien n'était plus vrai. Leurs larmes recommencèrent à couler.

Vocabulaire
1. *Sous-diaconat* : rang ecclésiastique au-dessous des prêtres et des diacres.

Le baron ne pouvait se lasser d'embrasser Candide ; il l'appelait
son frère, son sauveur. « Ah ! peut-être, lui dit-il, nous pourrons
30 ensemble, mon cher Candide, entrer en vainqueurs dans la ville, et
reprendre ma sœur Cunégonde. – C'est tout ce que je souhaite, dit
Candide ; car je comptais l'épouser, et je l'espère encore. – Vous,
insolent ! répondit le baron, vous auriez l'impudence[1] d'épouser
ma sœur qui a soixante et douze quartiers ! Je vous trouve bien
35 effronté d'oser me parler d'un dessein[2] si téméraire ! » Candide,
pétrifié d'un tel discours, lui répondit : « Mon révérend père, tous
les quartiers du monde n'y font rien ; j'ai tiré votre sœur des bras
d'un Juif et d'un inquisiteur ; elle m'a assez d'obligations, elle veut
m'épouser. Maître Pangloss m'a toujours dit que les hommes sont
40 égaux ; et assurément je l'épouserai. – C'est ce que nous verrons,
coquin ! » dit le jésuite baron de Thunder-ten-tronckh ; et en même
temps il lui donna un grand coup du plat de son épée sur le visage.
Candide dans l'instant tire la sienne, et l'enfonce jusqu'à la garde
dans le ventre du baron jésuite ; mais en la retirant toute fumante,
45 il se mit à pleurer : « Hélas ! mon Dieu ! dit-il, j'ai tué mon ancien
maître, mon ami, mon beau-frère ; je suis le meilleur homme du
monde, et voilà déjà trois hommes que je tue ; et dans ces trois il
y a deux prêtres. »

Cacambo, qui faisait sentinelle à la porte de la feuillée, accourut.
50 « Il ne nous reste qu'à vendre cher notre vie, lui dit son maître ;
on va, sans doute, entrer dans la feuillée ; il faut mourir les armes à
la main. » Cacambo, qui en avait bien vu d'autres, ne perdit point
la tête ; il prit la robe de jésuite que portait le baron, la mit sur
le corps de Candide, lui donna le bonnet carré du mort, et le fit
55 monter à cheval. Tout cela se fit en un clin d'œil. « Galopons, mon
maître ; tout le monde vous prendra pour un jésuite qui va donner
des ordres ; et nous aurons passé les frontières avant qu'on puisse

Vocabulaire
1. *Impudence :* audace, insolence. **2.** *Dessein :* projet.

courir après nous. » Il volait déjà en prononçant ces paroles, et en criant en espagnol : « Place, place pour le révérend père colonel ! »

Chapitre 16
Ce qui advint aux deux voyageurs avec deux filles, deux singes et les sauvages nommés Oreillons

Candide et son valet furent au-delà des barrières, et personne ne savait encore dans le camp la mort du jésuite allemand. Le vigilant Cacambo avait eu soin de remplir sa valise de pain, de chocolat, de jambon, de fruits, et de quelques mesures de vin. Ils s'enfoncè-
5 rent avec leurs chevaux andalous dans un pays inconnu où ils ne découvrirent aucune route. Enfin une belle prairie entrecoupée de ruisseaux se présenta devant eux. Nos deux voyageurs font repaître[1] leurs montures. Cacambo propose à son maître de manger, et lui en donne l'exemple. « Comment veux-tu, disait Candide, que je mange
10 du jambon, quand j'ai tué le fils de monsieur le baron, et que je me vois condamné à ne revoir la belle Cunégonde de ma vie ? à quoi me servira de prolonger mes misérables jours, puisque je dois les traîner loin d'elle dans les remords et dans le désespoir ? et que dira le *Journal de Trévoux*[2]. »
15 En parlant ainsi, il ne laissa pas[3] de manger. Le soleil se cou- chait. Les deux égarés entendirent quelques petits cris qui parais- saient poussés par des femmes. Ils ne savaient si ces cris étaient de douleur ou de joie ; mais ils se levèrent précipitamment avec cette inquiétude et cette alarme que tout inspire dans un pays inconnu.
20 Ces clameurs partaient de deux filles toutes nues qui couraient légè-

Vocabulaire et nom propre
1. *Font repaître :* nourrissent.
2. *Journal de Trévoux :* publication fondée à Trévoux par les jésuites, ennemie de Voltaire et des encyclo- pédistes.
3. *Ne laissa pas :* continua.

rement au bord de la prairie, tandis que deux singes les suivaient en leur mordant les fesses. Candide fut touché de pitié ; il avait appris à tirer chez les Bulgares, et il aurait abattu une noisette dans un buisson sans toucher aux feuilles. Il prend son fusil espagnol à
25 deux coups, tire, et tue les deux singes. « Dieu soit loué, mon cher Cacambo ! j'ai délivré d'un grand péril ces deux pauvres créatures : si j'ai commis un péché en tuant un inquisiteur et un jésuite, je l'ai bien réparé en sauvant la vie à deux filles. Ce sont peut-être deux demoiselles de condition, et cette aventure nous peut procurer de
30 très grands avantages dans le pays. »

Il allait continuer, mais sa langue devint percluse**¹** quand il vit ces deux filles embrasser tendrement les deux singes, fondre en larmes sur leurs corps, et remplir l'air des cris les plus douloureux. « Je ne m'attendais pas à tant de bonté d'âme », dit-il enfin à Cacambo ;
35 lequel lui répliqua : « Vous avez fait là un beau chef-d'œuvre, mon maître ; vous avez tué les deux amants de ces demoiselles. – Leurs amants ! serait-il possible ? vous vous moquez de moi, Cacambo ; le moyen de vous croire ? – Mon cher maître, repartit Cacambo, vous êtes toujours étonné de tout ; pourquoi trouvez-vous si étrange que
40 dans quelques pays il y ait des singes qui obtiennent les bonnes grâces des dames ? Ils sont des quarts d'homme, comme je suis un quart d'Espagnol. – Hélas ! reprit Candide, je me souviens d'avoir entendu dire à maître Pangloss qu'autrefois pareils accidents étaient arrivés, et que ces mélanges avaient produit des égypans**²**, des faunes**³**, des
45 satyres**⁴** ; que plusieurs grands personnages de l'antiquité en avaient vu ; mais je prenais cela pour des fables. – Vous devez être convaincu à présent, dit Cacambo, que c'est une vérité, et vous voyez comment en usent les personnes qui n'ont pas reçu une certaine éducation ;

Vocabulaire

1. *Percluse* : engourdie, incapable de mouvement.
2. *Égypans* : monstres moitié hommes moitié boucs, satyres.

3. *Faunes* : divinités des champs aux grandes oreilles.
4. *Satyres* : divinités rustiques aux cornes et aux pieds de boucs.

50 tout ce que je crains, c'est que ces dames ne nous fassent quelque méchante affaire. »

Ces réflexions solides engagèrent Candide à quitter la prairie, et à s'enfoncer dans un bois. Il y soupa avec Cacambo ; et tous deux, après avoir maudit l'inquisiteur de Portugal, le gouverneur de Buenos-Ayres et le baron, s'endormirent sur de la mousse. À leur
55 réveil, ils sentirent qu'ils ne pouvaient remuer ; la raison en était que pendant la nuit les Oreillons, habitants du pays, à qui les deux dames les avaient dénoncés, les avaient garrottés[1] avec des cordes d'écorce d'arbre. Ils étaient entourés d'une cinquantaine d'Oreillons tout nus, armés de flèches, de massues, et de haches de caillou : les
60 uns faisaient bouillir une grande chaudière ; les autres préparaient des broches, et tous criaient : « C'est un jésuite, c'est un jésuite ! nous serons vengés, et nous ferons bonne chère ; mangeons du jésuite, mangeons du jésuite ! »

« Je vous l'avais bien dit, mon cher maître, s'écria tristement
65 Cacambo, que ces deux filles nous joueraient un mauvais tour. » Candide apercevant la chaudière et les broches s'écria : « Nous allons certainement être rôtis ou bouillis. Ah ! que dirait maître Pangloss, s'il voyait comme la pure nature est faite ? Tout est bien ; soit, mais j'avoue qu'il est bien cruel d'avoir perdu Mlle Cunégonde et d'être
70 mis à la broche par des Oreillons. » Cacambo ne perdait jamais la tête. « Ne désespérez de rien, dit-il au désolé Candide ; j'entends un peu le jargon de ces peuples, je vais leur parler. – Ne manquez pas, dit Candide, de leur représenter quelle est l'inhumanité affreuse de faire cuire des hommes, et combien cela est peu chrétien. »

75 « Messieurs, dit Cacambo, vous comptez donc manger aujourd'hui un jésuite : c'est très bien fait ; rien n'est plus juste que de traiter ainsi ses ennemis. En effet le droit naturel nous enseigne à tuer notre prochain, et c'est ainsi qu'on en agit dans toute la terre. Si nous n'usons

Vocabulaire
1. *Garrottés :* attachés solidement.

pas du droit de le manger, c'est que nous avons d'ailleurs de quoi
80 faire bonne chère ; mais vous n'avez pas les mêmes ressources que
nous : certainement il vaut mieux manger ses ennemis que d'aban-
donner aux corbeaux et aux corneilles le fruit de sa victoire. Mais,
messieurs, vous ne voudriez pas manger vos amis. Vous croyez aller
mettre un jésuite en broche, et c'est votre défenseur, c'est l'ennemi
85 de vos ennemis que vous allez rôtir. Pour moi, je suis né dans votre
pays ; monsieur que vous voyez est mon maître, et bien loin d'être
jésuite, il vient de tuer un jésuite, il en porte les dépouilles[1] ; voilà
le sujet de votre méprise. Pour vérifier ce que je vous dis, prenez
sa robe, portez-la à la première barrière du royaume de los padres ;
90 informez-vous si mon maître n'a pas tué un officier jésuite. Il vous
faudra peu de temps ; vous pourrez toujours nous manger, si vous
trouvez que je vous ai menti. Mais, si je vous ai dit la vérité, vous
connaissez trop les principes du droit public, les mœurs et les lois,
pour ne nous pas faire grâce. »

95 Les Oreillons trouvèrent ce discours très raisonnable ; ils députè-
rent[2] deux notables pour aller en diligence s'informer de la vérité ; les
deux députés s'acquittèrent de leur commission en gens d'esprit, et
revinrent bientôt apporter de bonnes nouvelles. Les Oreillons déliè-
rent leurs deux prisonniers, leur firent toutes sortes de civilités, leur
100 offrirent des filles, leur donnèrent des rafraîchissements, et les recon-
duisirent jusqu'aux confins de leurs États, en criant avec allégresse :
« Il n'est point jésuite, il n'est point jésuite ! »

 Candide ne se lassait point d'admirer le sujet de sa délivrance.
« Quel peuple ! disait-il, quels hommes ! quelles mœurs ! Si je n'avais
105 pas eu le bonheur de donner un grand coup d'épée au travers du
corps du frère de M[lle] Cunégonde, j'étais mangé sans rémission. Mais,
après tout, la pure nature est bonne, puisque ces gens-ci, au lieu de

Vocabulaire
1. *Dépouilles :* ce qu'il en reste ; ici, **2.** *Députèrent :* envoyèrent en mis-
les habits. sion.

me manger, m'ont fait mille honnêtetés, dès qu'ils ont su que je n'étais pas jésuite. »

Chapitre 17
Arrivée de Candide et de son valet au pays d'Eldorado, et ce qu'ils y virent

Quand ils furent aux frontières des Oreillons : « Vous voyez, dit Cacambo à Candide, que cet hémisphère-ci ne vaut pas mieux que l'autre ; croyez-moi, retournons en Europe par le plus court chemin. – Comment y retourner ? dit Candide ; et où aller ? Si je vais dans
5 mon pays, les Bulgares et les Abares y égorgent tout ; si je retourne en Portugal, j'y suis brûlé ; si nous restons dans ce pays-ci, nous risquons à tout moment d'être mis en broche. Mais comment se résoudre à quitter la partie du monde que Mlle Cunégonde habite ? – Tournons vers la Cayenne¹, dit Cacambo, nous y trouverons des Français, qui
10 vont par tout le monde ; ils pourront nous aider. Dieu aura peut-être pitié de nous. »

Il n'était pas facile d'aller à la Cayenne : ils savaient bien à peu près de quel côté il fallait marcher ; mais des montagnes, des fleuves, des précipices, des brigands, des sauvages, étaient partout de ter-
15 ribles obstacles. Leurs chevaux moururent de fatigue ; leurs provisions furent consumées ; ils se nourrirent un mois entier de fruits sauvages, et se trouvèrent enfin auprès d'une petite rivière bordée de cocotiers qui soutinrent leur vie et leurs espérances.

Cacambo, qui donnait toujours d'aussi bons conseils que la
20 vieille, dit à Candide : « Nous n'en pouvons plus, nous avons assez marché ; j'aperçois un canot vide sur le rivage, emplissons-le de

Nom propre
1. *Cayenne* : colonie française d'Amérique du Sud, au nord du Brésil et voisine du Surinam.

cocos, jetons-nous dans cette petite barque, laissons-nous aller au courant ; une rivière mène toujours à quelque endroit habité. Si nous ne trouvons pas des choses agréables, nous trouverons du moins des choses nouvelles. – Allons, dit Candide, recommandons-nous à la Providence[1]. »

Ils voguèrent quelques lieues entre des bords, tantôt fleuris, tantôt arides, tantôt unis, tantôt escarpés. La rivière s'élargissait toujours ; enfin elle se perdait sous une voûte de rochers épouvantables qui s'élevaient jusqu'au ciel. Les deux voyageurs eurent la hardiesse de s'abandonner aux flots sous cette voûte. Le fleuve, resserré en cet endroit, les porta avec une rapidité et un bruit horrible. Au bout de vingt-quatre heures ils revirent le jour ; mais leur canot se fracassa contre les écueils[2] ; il fallut se traîner de rocher en rocher pendant une lieue entière ; enfin ils découvrirent un horizon immense, bordé de montagnes inaccessibles. Le pays était cultivé pour le plaisir comme pour le besoin ; partout l'utile était agréable : les chemins étaient couverts ou plutôt ornés de voitures d'une forme et d'une matière brillante, portant des hommes et des femmes d'une beauté singulière, traînés rapidement par de gros moutons rouges qui surpassaient en vitesse les plus beaux chevaux d'Andalousie, de Tétuan, et de Méquinez.

« Voilà pourtant, dit Candide, un pays qui vaut mieux que la Westphalie. » Il mit pied à terre avec Cacambo auprès du premier village qu'il rencontra. Quelques enfants du village, couverts de brocarts d'or tout déchirés, jouaient au palet[3] à l'entrée du bourg ; nos deux hommes de l'autre monde s'amusèrent à les regarder : leurs palets étaient d'assez larges pièces rondes, jaunes, rouges, vertes, qui jetaient un éclat singulier. Il prit envie aux voyageurs d'en ramasser

Vocabulaire

1. *Providence* : volonté divine.
2. *Écueils* : rochers qui dépassent à peine de l'eau.

3. *Palet* : jeu d'adresse consistant à lancer un petit disque de bois au plus près d'un autre.

50 quelques-uns ; c'était de l'or, c'étaient des émeraudes, des rubis, dont
le moindre aurait été le plus grand ornement du trône du Mogol[1].
« Sans doute, dit Cacambo, ces enfants sont les fils du roi du pays qui
jouent au petit palet. » Le magister[2] du village parut dans ce moment
pour les faire rentrer à l'école. « Voilà, dit Candide, le précepteur de

55 la famille royale. »

Les petits gueux quittèrent aussitôt le jeu, en laissant à terre leurs
palets, et tout ce qui avait servi à leurs divertissements. Candide les
ramasse, court au précepteur et les lui présente humblement, lui
faisant entendre par signes que leurs altesses royales avaient oublié

60 leur or et leurs pierreries. Le magister du village, en souriant, les jeta
par terre, regarda un moment la figure de Candide avec beaucoup
de surprise, et continua son chemin.

Les voyageurs ne manquèrent pas de ramasser l'or, les rubis et
les émeraudes. « Où sommes-nous ? s'écria Candide. Il faut que les

65 enfants des rois de ce pays soient bien élevés, puisqu'on leur apprend
à mépriser l'or et les pierreries. » Cacambo était aussi surpris que
Candide. Ils approchèrent enfin de la première maison du village ;
elle était bâtie comme un palais d'Europe. Une foule de monde s'em-
pressait à la porte, et encore plus dans le logis ; une musique très

70 agréable se faisait entendre, et une odeur délicieuse de cuisine se
faisait sentir. Cacambo s'approcha de la porte, et entendit qu'on
parlait péruvien ; c'était sa langue maternelle ; car tout le monde
sait que Cacambo était né au Tucuman, dans un village où l'on ne
connaissait que cette langue. « Je vous servirai d'interprète, dit-il à

75 Candide ; entrons, c'est ici un cabaret. »

Aussitôt deux garçons et deux filles de l'hôtellerie, vêtus de drap
d'or, et les cheveux renoués avec des rubans, les invitent à se mettre
à la table de l'hôte. On servit quatre potages garnis chacun de deux

Vocabulaire et nom propre
1. *Mogol :* souverain de l'Empire mo-
ghol, en Inde.

2. *Magister :* maître d'école.

perroquets, un contour[1] bouilli qui pesait deux cents livres, deux
80 singes rôtis d'un goût excellent, trois cents colibris dans un plat, et
six cents oiseaux-mouches dans un autre ; des ragoûts exquis, des
pâtisseries délicieuses ; le tout dans des plats d'une espèce de cristal
de roche. Les garçons et les filles de l'hôtellerie versaient plusieurs
liqueurs faites de cannes de sucre.

85 Les convives étaient pour la plupart des marchands et des voitu-
riers, tous d'une politesse extrême, qui firent quelques questions à
Cacambo avec la discrétion la plus circonspecte[2], et qui répondirent
aux siennes d'une manière à le satisfaire.

Quand le repas fut fini, Cacambo crut, ainsi que Candide, bien
90 payer son écot, en jetant sur la table de l'hôte deux de ces larges
pièces d'or qu'il avait ramassées ; l'hôte et l'hôtesse éclatèrent de rire,
et se tinrent longtemps les côtés. Enfin ils se remirent. « Messieurs,
dit l'hôte, nous voyons bien que vous êtes des étrangers ; nous ne
sommes pas accoutumés à en voir. Pardonnez-nous si nous nous
95 sommes mis à rire quand vous nous avez offert en paiement les
cailloux de nos grands chemins. Vous n'avez pas sans doute de la
monnaie du pays, mais il n'est pas nécessaire d'en avoir pour dîner ici.
Toutes les hôtelleries établies pour la commodité du commerce sont
payées par le gouvernement. Vous avez fait mauvaise chère ici, parce
100 que c'est un pauvre village, mais partout ailleurs vous serez reçus
comme vous méritez de l'être. » Cacambo expliquait à Candide tous
les discours de l'hôte, et Candide les écoutait avec la même admira-
tion et le même égarement que son ami Cacambo les rendait. « Quel
est donc ce pays, disaient-ils l'un et l'autre, inconnu à tout le reste de
105 la terre, et où toute la nature est d'une espèce si différente de la nôtre ?
C'est probablement le pays où tout va bien ; car il faut absolument
qu'il y en ait un de cette espèce. Et, quoi qu'en dît maître Pangloss,
je me suis souvent aperçu que tout allait assez mal en Westphalie. »

Vocabulaire
1. *Contour* : condor. **2.** *Circonspecte* : prudente.

Candide ou l'Optimisme

Chapitre 18
Ce qu'ils virent dans le pays d'Eldorado

Cacambo témoigna à son hôte toute sa curiosité ; l'hôte lui dit :
« Je suis fort ignorant, et je m'en trouve bien ; mais nous avons ici un
vieillard retiré de la cour qui est le plus savant homme du royaume,
et le plus communicatif. » Aussitôt il mène Cacambo chez le vieillard.
5 Candide ne jouait plus que le second personnage, et accompagnait
son valet. Ils entrèrent dans une maison fort simple, car la porte
n'était que d'argent, et les lambris des appartements n'étaient que
d'or, mais travaillés avec tant de goût que les plus riches lambris
ne l'effaçaient pas. L'antichambre n'était à la vérité incrustée que
10 de rubis et d'émeraudes ; mais l'ordre dans lequel tout était arrangé
réparait bien cette extrême simplicité.

Le vieillard reçut les deux étrangers sur un sofa matelassé de
plumes de colibri, et leur fit présenter des liqueurs dans des vases de
diamant ; après quoi il satisfit à leur curiosité en ces termes :

15 « Je suis âgé de cent soixante et douze ans, et j'ai appris de feu
mon père, écuyer du roi, les étonnantes révolutions du Pérou dont il
avait été témoin. Le royaume où nous sommes est l'ancienne patrie
des Incas, qui en sortirent très imprudemment pour aller subjuguer[1]
une partie du monde, et qui furent enfin détruits par les Espagnols.
20 Les princes de leur famille qui restèrent dans leur pays natal furent
plus sages ; ils ordonnèrent, du consentement de la nation, qu'aucun
habitant ne sortirait jamais de notre petit royaume ; et c'est ce qui
nous a conservé notre innocence et notre félicité. Les Espagnols ont
eu une connaissance confuse de ce pays, ils l'ont appelé *El Dorado* ;
25 et un Anglais, nommé le chevalier Raleigh, en a même approché
il y a environ cent années ; mais, comme nous sommes entourés
de rochers inabordables et de précipices, nous avons toujours été

Vocabulaire
1. *Subjuguer :* asservir.

jusqu'à présent à l'abri de la rapacité des nations de l'Europe, qui ont
une fureur inconcevable pour les cailloux et pour la fange[1] de notre
30 terre, et qui, pour en avoir, nous tueraient tous jusqu'au dernier. »

La conversation fut longue ; elle roula[2] sur la forme du gouver-
nement, sur les mœurs, sur les femmes, sur les spectacles publics,
sur les arts. Enfin Candide, qui avait toujours du goût pour la méta-
physique, fit demander par Cacambo si dans le pays il y avait une
35 religion.

Le vieillard rougit un peu. « Comment donc ! dit-il, en pou-
vez-vous douter ? Est-ce que vous nous prenez pour des ingrats ? »
Cacambo demanda humblement quelle était la religion d'Eldorado.
Le vieillard rougit encore : « Est-ce qu'il peut y avoir deux religions ?
40 dit-il. Nous avons, je crois, la religion de tout le monde ; nous
adorons Dieu du soir jusqu'au matin. – N'adorez-vous qu'un seul
Dieu ? dit Cacambo, qui servait toujours d'interprète aux doutes de
Candide. – Apparemment, dit le vieillard, qu'il n'y en a ni deux, ni
trois, ni quatre. Je vous avoue que les gens de votre monde font des
45 questions bien singulières. » Candide ne se lassait pas de faire inter-
roger ce bon vieillard ; il voulut savoir comment on priait Dieu dans
Eldorado. « Nous ne le prions point, dit le bon et respectable sage ;
nous n'avons rien à lui demander, il nous a donné tout ce qu'il nous
faut ; nous le remercions sans cesse. » Candide eut la curiosité de
50 voir des prêtres ; il fit demander où ils étaient. Le bon vieillard sourit.
« Mes amis, dit-il, nous sommes tous prêtres ; le roi et tous les chefs
de famille chantent des cantiques d'actions de grâces solennellement
tous les matins, et cinq ou six mille musiciens les accompagnent.
– Quoi ! vous n'avez point de moines qui enseignent, qui disputent,
55 qui gouvernent, qui cabalent[3], et qui font brûler les gens qui ne sont
pas de leur avis ? – Il faudrait que nous fussions fous, dit le vieillard ;

Vocabulaire
1. *Fange :* boue.
2. *Roula :* porta.

3. *Cabalent :* complotent.

nous sommes tous ici du même avis, et nous n'entendons pas ce que vous voulez dire avec vos moines. » Candide à tous ces discours demeurait en extase, et disait en lui-même : « Ceci est bien différent
60 de la Westphalie et du château de monsieur le baron ; si notre ami Pangloss avait vu Eldorado, il n'aurait plus dit que le château de Thunder-ten-tronckh était ce qu'il y avait de mieux sur la terre ; il est certain qu'il faut voyager. »

Après cette longue conversation, le bon vieillard fit atteler un
65 carrosse à six moutons, et donna douze de ses domestiques aux deux voyageurs pour les conduire à la cour. « Excusez-moi, leur dit-il, si mon âge me prive de l'honneur de vous accompagner. Le roi vous recevra d'une manière dont vous ne serez pas mécontents, et vous pardonnerez sans doute aux usages du pays, s'il y en a quelques-uns
70 qui vous déplaisent. »

Candide et Cacambo montent en carrosse ; les six moutons volaient, et en moins de quatre heures on arriva au palais du roi, situé à un bout de la capitale. Le portail était de deux cent vingt pieds de haut, et de cent de large ; il est impossible d'exprimer quelle
75 en était la matière. On voit assez quelle supériorité prodigieuse elle devait avoir sur ces cailloux et sur ce sable que nous nommons or et pierreries.

Vingt belles filles de la garde reçurent Candide et Cacambo à la descente du carrosse, les conduisirent aux bains, les vêtirent de
80 robes d'un tissu de duvet de colibri ; après quoi les grands officiers et les grandes officières de la couronne les menèrent à l'appartement de sa majesté au milieu de deux files, chacune de mille musiciens, selon l'usage ordinaire. Quand ils approchèrent de la salle du trône, Cacambo demanda à un grand officier comment il fallait s'y prendre
85 pour saluer sa majesté : si on se jetait à genoux ou ventre à terre ; si on mettait les mains sur la tête ou sur le derrière ; si on léchait la poussière de la salle ; en un mot, quelle était la cérémonie. « L'usage, dit le grand officier, est d'embrasser le roi et de le baiser des deux

côtés. » Candide et Cacambo sautèrent au cou de sa majesté, qui
90 les reçut avec toute la grâce imaginable, et qui les pria poliment à
souper.

En attendant, on leur fit voir la ville, les édifices publics élevés
jusqu'aux nues, les marchés ornés de mille colonnes, les fontaines
d'eau pure, les fontaines d'eau rose, celles de liqueurs de cannes de
95 sucre qui coulaient continuellement dans de grandes places pavées
d'une espèce de pierreries qui répandaient une odeur semblable à
celle du girofle[1] et de la cannelle. Candide demanda à voir la cour de
justice, le parlement ; on lui dit qu'il n'y en avait point, et qu'on ne
plaidait jamais. Il s'informa s'il y avait des prisons, et on lui dit que
100 non. Ce qui le surprit davantage, et qui lui fit le plus de plaisir, ce
fut le palais des sciences, dans lequel il vit une galerie de deux mille
pas, toute pleine d'instruments de mathématiques et de physique.

Après avoir parcouru toute l'après-dînée à peu près la millième
partie de la ville, on les ramena chez le roi. Candide se mit à table
105 entre sa majesté, son valet Cacambo, et plusieurs dames. Jamais on
ne fit meilleure chère, et jamais on n'eut plus d'esprit à souper qu'en
eut sa majesté. Cacambo expliquait les bons mots du roi à Candide,
et, quoique traduits, ils paraissaient toujours des bons mots. De tout
ce qui étonnait Candide, ce n'était pas ce qui l'étonna le moins.

110 Ils passèrent un mois dans cet hospice[2]. Candide ne cessait de
dire à Cacambo : « Il est vrai, mon ami, encore une fois, que le châ-
teau où je suis né ne vaut pas le pays où nous sommes ; mais enfin
M[lle] Cunégonde n'y est pas, et vous avez sans doute quelque maî-
tresse en Europe. Si nous restons ici, nous n'y serons que comme les
115 autres ; au lieu que si nous retournons dans notre monde, seulement
avec douze moutons chargés de cailloux d'Eldorado, nous serons
plus riches que tous les rois ensemble, nous n'aurons plus d'inquisi-

Vocabulaire
1. *Girofle* : clou de girofle, utilisé
comme une épice.

2. *Hospice* : refuge.

teurs à craindre, et nous pourrons aisément reprendre mademoiselle Cunégonde. »

120 Ce discours plut à Cacambo ; on aime tant à courir, à se faire valoir chez les siens, à faire parade de ce qu'on a vu dans ses voyages, que les deux heureux résolurent de ne plus l'être, et de demander leur congé à sa majesté.

 « Vous faites une sottise, leur dit le roi ; je sais bien que mon pays
125 est peu de chose ; mais, quand on est passablement quelque part, il faut y rester. Je n'ai pas assurément le droit de retenir des étrangers ; c'est une tyrannie qui n'est ni dans nos mœurs ni dans nos lois : tous les hommes sont libres ; partez quand vous voudrez, mais la sortie est bien difficile. Il est impossible de remonter la rivière rapide sur
130 laquelle vous êtes arrivés par miracle, et qui court sous des voûtes de rochers. Les montagnes qui entourent tout mon royaume ont dix mille pieds de hauteur, et sont droites comme des murailles : elles occupent chacune en largeur un espace de plus de dix lieues ; on ne peut en descendre que par des précipices. Cependant, puisque vous
135 voulez absolument partir, je vais donner ordre aux intendants des machines d'en faire une qui puisse vous transporter commodément. Quand on vous aura conduits au revers des montagnes, personne ne pourra vous accompagner : car mes sujets ont fait vœu de ne jamais sortir de leur enceinte, et ils sont trop sages pour rompre leur
140 vœu. Demandez-moi d'ailleurs tout ce qu'il vous plaira. – Nous ne demandons à votre majesté, dit Cacambo, que quelques moutons chargés de vivres, de cailloux, et de la boue du pays. » Le roi rit : « Je ne conçois pas, dit-il, quel goût vos gens d'Europe ont pour notre boue jaune ; mais emportez-en tant que vous voudrez, et grand bien
145 vous fasse. »

 Il donna l'ordre sur-le-champ à ses ingénieurs de faire une machine pour guinder[1] ces deux hommes extraordinaires hors du royaume.

Vocabulaire
1. *Guinder* : élever à l'aide d'une grue.

Trois mille bons physiciens y travaillèrent ; elle fut prête au bout de quinze jours, et ne coûta pas plus de vingt millions de livres sterling,
150 monnaie du pays. On mit sur la machine Candide et Cacambo ; il y avait deux grands moutons rouges sellés et bridés pour leur servir de monture quand ils auraient franchi les montagnes, vingt moutons de bât[1] chargés de vivres, trente qui portaient des présents de ce que le pays a de plus curieux, et cinquante chargés d'or, de pierreries et de
155 diamants. Le roi embrassa tendrement les deux vagabonds.

Ce fut un beau spectacle que leur départ, et la manière ingénieuse dont ils furent hissés eux et leurs moutons au haut des montagnes. Les physiciens prirent congé d'eux après les avoir mis en sûreté, et Candide n'eut plus d'autre désir et d'autre objet que d'aller présenter
160 ses moutons à M[lle] Cunégonde. « Nous avons, dit-il, de quoi payer le gouverneur de Buenos-Ayres, si M[lle] Cunégonde peut être mise à prix. Marchons vers la Cayenne, embarquons-nous, et nous verrons ensuite quel royaume nous pourrons acheter. »

Chapitre 19
Ce qui leur arriva à Surinam[2], et comment Candide fit connaissance avec Martin

La première journée de nos deux voyageurs fut assez agréable. Ils étaient encouragés par l'idée de se voir possesseurs de plus de trésors que l'Asie, l'Europe, et l'Afrique, n'en pouvaient rassembler. Candide, transporté, écrivit le nom de Cunégonde sur les arbres. À la seconde
5 journée deux de leurs moutons s'enfoncèrent dans des marais, et y furent abîmés[3] avec leurs charges ; deux autres moutons moururent

Vocabulaire et nom propre
1. *Moutons de bât :* moutons équipés d'une selle spéciale leur permettant de porter de lourdes charges.

2. *Surinam :* colonie hollandaise d'Amérique du Sud.
3. *Abîmés :* engloutis.

de fatigue quelques jours après ; sept ou huit périrent ensuite de faim dans un désert ; d'autres tombèrent au bout de quelques jours dans des précipices. Enfin, après cent jours de marche, il ne leur
10 resta que deux moutons. Candide dit à Cacambo : « Mon ami, vous voyez comme les richesses de ce monde sont périssables ; il n'y a rien de solide que la vertu et le bonheur de revoir M[elle] Cunégonde. – Je l'avoue, dit Cacambo ; mais il nous reste encore deux moutons avec plus de trésors que n'en aura jamais le roi d'Espagne ; et je vois bien
15 de loin une ville que je soupçonne être Surinam, appartenante[1] aux Hollandais. Nous sommes au bout de nos peines et au commencement de notre félicité. »

En approchant de la ville, ils rencontrèrent un nègre étendu par terre, n'ayant plus que la moitié de son habit, c'est-à-dire d'un
20 caleçon de toile bleue ; il manquait à ce pauvre homme la jambe gauche et la main droite. « Eh ! mon Dieu ! lui dit Candide en hollandais, que fais-tu là, mon ami, dans l'état horrible où je te vois ? – J'attends mon maître, M. Vanderdendur, le fameux négociant, répondit le nègre. – Est-ce M. Vanderdendur, dit Candide, qui t'a
25 traité ainsi ? – Oui, monsieur, dit le nègre, c'est l'usage. On nous donne un caleçon de toile pour tout vêtement deux fois l'année. Quand nous travaillons aux sucreries, et que la meule nous attrape le doigt, on nous coupe la main ; quand nous voulons nous enfuir, on nous coupe la jambe : je me suis trouvé dans les deux cas. C'est
30 à ce prix que vous mangez du sucre en Europe. Cependant, lorsque ma mère me vendit dix écus patagons[2] sur la côte de Guinée, elle me disait : « Mon cher enfant, bénis nos fétiches[3], adore-les toujours, ils te feront vivre heureux ; tu as l'honneur d'être esclave de

Vocabulaire
1. *Appartenante* : appartenant (l'accord était autorisé au xviiie siècle).
2. *Écus patagons* : monnaie espagnole.

3. *Fétiches* : talismans, objets sacrés ou aux vertus magiques. Au sens figuré, le mot peut désigner ironiquement les religieux, eux-mêmes dotés de pouvoirs « magiques ».

nos seigneurs les blancs, et tu fais par là la fortune de ton père et
35 de ta mère. » Hélas ! je ne sais pas si j'ai fait leur fortune, mais ils
n'ont pas fait la mienne. Les chiens, les singes, et les perroquets,
sont mille fois moins malheureux que nous ; les fétiches hollandais
qui m'ont converti me disent tous les dimanches que nous sommes
tous enfants d'Adam, blancs et noirs. Je ne suis pas généalogiste ;
40 mais si ces prêcheurs[1] disent vrai, nous sommes tous cousins issus
de germain. Or vous m'avouerez qu'on ne peut pas en user avec ses
parents d'une manière plus horrible.

– Ô Pangloss ! s'écria Candide, tu n'avais pas deviné cette abomi-
nation ; c'en est fait, il faudra qu'à la fin je renonce à ton optimisme.
45 – Qu'est-ce qu'optimisme ? disait Cacambo. – Hélas ! dit Candide,
c'est la rage de soutenir que tout est bien quand on est mal » ; et il
versait des larmes en regardant son nègre ; et en pleurant, il entra
dans Surinam.

La première chose dont ils s'informent, c'est s'il n'y a point au
50 port quelque vaisseau qu'on pût envoyer à Buenos-Ayres. Celui à
qui ils s'adressèrent était justement un patron espagnol qui s'offrit à
faire avec eux un marché honnête. Il leur donna rendez-vous dans
un cabaret. Candide et le fidèle Cacambo allèrent l'y attendre avec
leurs deux moutons.

55 Candide, qui avait le cœur sur les lèvres, conta à l'Espagnol toutes
ses aventures, et lui avoua qu'il voulait enlever M^{lle} Cunégonde. « Je
me garderai bien de vous passer à Buenos-Ayres, dit le patron ; je
serais pendu, et vous aussi ; la belle Cunégonde est la maîtresse favo-
rite de monseigneur. » Ce fut un coup de foudre pour Candide, il
60 pleura longtemps ; enfin il tira à part Cacambo. « Voici, mon cher
ami, lui dit-il, ce qu'il faut que tu fasses. Nous avons chacun dans
nos poches pour cinq ou six millions de diamants, tu es plus habile
que moi ; va prendre M^{lle} Cunégonde à Buenos-Ayres. Si le gouver-

Vocabulaire
1. *Prêcheurs :* prédicateurs qui enseignent la morale religieuse.

neur fait quelque difficulté, donne-lui un million ; s'il ne se rend
65 pas, donne-lui-en deux ; tu n'as point tué d'inquisiteur, on ne se
défiera point de toi. J'équiperai un autre vaisseau, j'irai t'attendre
à Venise[1] : c'est un pays libre où l'on n'a rien à craindre ni des
Bulgares, ni des Abares, ni des Juifs, ni des inquisiteurs. » Cacambo
applaudit, à cette sage résolution. Il était au désespoir de se séparer
70 d'un bon maître devenu son ami intime ; mais le plaisir de lui être
utile l'emporta sur la douleur de le quitter. Ils s'embrassèrent en
versant des larmes : Candide lui recommanda de ne point oublier la
bonne vieille. Cacambo partit dès le jour même : c'était un très bon
homme que ce Cacambo.

75 Candide resta encore quelque temps à Surinam, et attendit qu'un
autre patron voulût le mener en Italie lui et les deux moutons qui
lui restaient. Il prit des domestiques, et acheta tout ce qui lui était
nécessaire pour un long voyage ; enfin M. Vanderdendur, maître
d'un gros vaisseau, vint se présenter à lui. « Combien voulez-vous,
80 demanda-t-il à cet homme, pour me mener en droiture[2] à Venise,
moi, mes gens, mon bagage, et les deux moutons que voilà ? » Le
patron s'accorda à dix mille piastres[3] ; Candide n'hésita pas.

 « Oh ! oh ! dit à part soi[4] le prudent Vanderdendur, cet étranger
donne dix mille piastres tout d'un coup ! il faut qu'il soit bien riche. »
85 Puis revenant un moment après, il signifia qu'il ne pouvait partir à
moins de vingt mille. « Eh bien ! vous les aurez, dit Candide. – Ouais,
se dit tout bas le marchand, cet homme donne vingt mille piastres
aussi aisément que dix mille. »

 Il revint encore, et dit qu'il ne pouvait le conduire à Venise à
90 moins de trente mille piastres. « Vous en aurez donc trente mille,
répondit Candide. – Oh ! oh ! se dit encore le marchand hollandais,

Vocabulaire et nom propre

1. *Venise :* cité-état d'Italie encore in-
dépendante au XVIIIe siècle et dirigée
par un doge. Elle est réputée pour
son rayonnement culturel.

2. *En droiture :* directement.
3. *Piastres :* monnaie utilisée par la
République de Venise.
4. *À part soi :* intérieurement.

trente mille piastres ne coûtent rien à cet homme-ci ; sans doute les deux moutons portent des trésors immenses ; n'insistons pas davantage ; faisons-nous d'abord payer les trente mille piastres, et
95 puis nous verrons. »

Candide vendit deux petits diamants, dont le moindre valait plus que tout l'argent que demandait le patron. Il le paya d'avance. Les deux moutons furent embarqués. Candide suivait dans un petit bateau pour joindre le vaisseau à la rade[1] ; le patron prend son temps,
100 met à la voile, démarre ; le vent le favorise. Candide éperdu et stupéfait le perd bientôt de vue. « Hélas ! cria-t-il, voilà un tour digne de l'Ancien Monde. » Il retourne au rivage, abîmé dans la douleur ; car enfin il avait perdu de quoi faire la fortune de vingt monarques.

Il se transporte chez le juge hollandais ; et, comme il était un peu
105 troublé, il frappe rudement à la porte ; il entre, expose son aventure, et crie un peu plus haut qu'il ne convenait. Le juge commença par lui faire payer dix mille piastres pour le bruit qu'il avait fait ; ensuite il l'écouta patiemment, lui promit d'examiner son affaire sitôt que le marchand serait revenu, et se fit payer dix mille autres piastres pour
110 les frais de l'audience.

Ce procédé acheva de désespérer Candide ; il avait à la vérité essuyé des malheurs mille fois plus douloureux ; mais le sang-froid du juge, et celui du patron dont il était volé, alluma sa bile[2], et le plongea dans une noire mélancolie. La méchanceté des hommes
115 se présentait à son esprit dans toute sa laideur, il ne se nourrissait que d'idées tristes. Enfin un vaisseau français étant sur le point de partir pour Bordeaux, comme il n'avait plus de moutons chargés de diamants à embarquer, il loua une chambre du vaisseau à juste prix, et fit signifier dans la ville qu'il paierait le passage, la nourriture, et
120 donnerait deux mille piastres à un honnête homme qui voudrait

Vocabulaire
1. *Rade :* bassin ouvert sur la mer destiné au mouillage des bateaux.

2. *Bile :* colère.

faire le voyage avec lui, à condition que cet homme serait le plus dégoûté de son état et le plus malheureux de la province.

Il se présenta une foule de prétendants qu'une flotte n'aurait pu contenir. Candide, voulant choisir entre les plus apparents[1], il
125 distingua une vingtaine de personnes qui lui paraissaient sociables, et qui toutes prétendaient mériter la préférence. Il les assembla dans son cabaret, et leur donna à souper, à condition que chacun ferait serment de raconter fidèlement son histoire, promettant de choisir celui qui lui paraîtrait le plus à plaindre et le plus mécontent de son
130 état, à plus juste titre, et de donner aux autres quelques gratifications.

La séance dura jusqu'à quatre heures du matin. Candide, en écoutant toutes leurs aventures, se ressouvenait de ce que lui avait dit la vieille en allant à Buenos-Ayres, et de la gageure[2] qu'elle avait faite, qu'il n'y avait personne sur le vaisseau à qui il ne fût arrivé de très
135 grands malheurs. Il songeait à Pangloss à chaque aventure qu'on lui contait. « Ce Pangloss, disait-il, serait bien embarrassé à démontrer son système. Je voudrais qu'il fût ici. Certainement si tout va bien, c'est dans Eldorado, et non pas dans le reste de la terre. » Enfin il se détermina en faveur d'un pauvre savant qui avait travaillé dix ans
140 pour les libraires à Amsterdam. Il jugea qu'il n'y avait point de métier au monde dont on dût être plus dégoûté.

Ce savant, qui était d'ailleurs un bon homme, avait été volé par sa femme, battu par son fils, et abandonné de sa fille, qui s'était fait enlever par un Portugais. Il venait d'être privé d'un petit emploi
145 duquel il subsistait ; et les prédicants[3] de Surinam le persécutaient, parce qu'ils le prenaient pour un socinien[4]. Il faut avouer que les autres étaient pour le moins aussi malheureux que lui ; mais Candide

Vocabulaire

1. *Apparents :* remarquables, distingués.
2. *Gageure :* défi.
3. *Prédicants :* prédicateurs protestants.

4. *Socinien :* adepte du socinianisme, un courant religieux qui nie la divinité du Christ, se réfère exclusivement au Nouveau Testament et prône la tolérance et le libéralisme religieux.

espérait que le savant le désennuierait dans le voyage. Tous ses autres
rivaux trouvèrent que Candide leur faisait une grande injustice ; mais
150 il les apaisa en leur donnant à chacun cent piastres.

Chapitre 20
Ce qui arriva sur mer à Candide et à Martin

Le vieux savant, qui s'appelait Martin, s'embarqua donc pour
Bordeaux avec Candide. L'un et l'autre avaient beaucoup vu et beau-
coup souffert ; et quand le vaisseau aurait dû faire voile de Surinam
au Japon par le cap de Bonne-Espérance, ils auraient eu de quoi s'en-
5 tretenir du mal moral et du mal physique pendant tout le voyage.

Cependant Candide avait un grand avantage sur Martin, c'est
qu'il espérait toujours revoir Mlle Cunégonde, et que Martin n'avait
rien à espérer ; de plus il avait de l'or et des diamants ; et, quoiqu'il
eût perdu cent gros moutons rouges chargés des plus grands trésors
10 de la terre, quoiqu'il eût toujours sur le cœur la friponnerie du patron
hollandais, cependant, quand il songeait à ce qui lui restait dans ses
poches, et quand il parlait de Cunégonde, surtout à la fin du repas,
il penchait alors pour le système de Pangloss.

« Mais vous, monsieur Martin, dit-il au savant, que pensez-vous
15 de tout cela ? Quelle est votre idée sur le mal moral et le mal phy-
sique ? – Monsieur, répondit Martin, mes prêtres m'ont accusé d'être
socinien ; mais la vérité du fait est que je suis manichéen. – Vous
vous moquez de moi, dit Candide ; il n'y a plus de manichéens[1] dans
le monde. – Il y a moi, dit Martin ; je ne sais qu'y faire, mais je ne
20 peux penser autrement. – Il faut que vous ayez le diable au corps,
dit Candide. – Il se mêle si fort des affaires de ce monde, dit Martin,

Vocabulaire
1. *Manichéens :* adeptes d'une religion qui enseigne que le monde est soumis à
une lutte permanente du Bien et du Mal.

qu'il pourrait bien être dans mon corps, comme partout ailleurs ; mais je vous avoue qu'en jetant la vue sur ce globe, ou plutôt sur ce globule, je pense que Dieu l'a abandonné à quelque être malfaisant ;
25 j'en excepte toujours Eldorado. Je n'ai guère vu de ville qui ne désirât la ruine de la ville voisine, point de famille qui ne voulût exterminer quelque autre famille. Partout les faibles ont en exécration les puissants devant lesquels ils rampent, et les puissants les traitent comme des troupeaux dont on vend la laine et la chair. Un million
30 d'assassins enrégimentés[1], courant d'un bout de l'Europe à l'autre, exerce le meurtre et le brigandage avec discipline pour gagner son pain, parce qu'il n'a pas de métier plus honnête ; et dans les villes qui paraissent jouir de la paix, et où les arts fleurissent, les hommes sont dévorés de plus d'envie, de soins, et d'inquiétudes, qu'une ville
35 assiégée n'éprouve de fléaux. Les chagrins secrets sont encore plus cruels que les misères publiques. En un mot, j'en ai tant vu et tant éprouvé, que je suis manichéen. – Il y a pourtant du bon, répliquait Candide. – Cela peut être, disait Martin ; mais je ne le connais pas. »

 Au milieu de cette dispute, on entendit un bruit de canon. Le
40 bruit redouble de moment en moment. Chacun prend sa lunette. On aperçoit deux vaisseaux qui combattaient à la distance d'environ trois milles : le vent les amena l'un et l'autre si près du vaisseau français, qu'on eut le plaisir de voir le combat tout à son aise. Enfin l'un des deux vaisseaux lâcha à l'autre une bordée[2] si bas et si juste,
45 qu'il le coula à fond. Candide et Martin aperçurent distinctement une centaine d'hommes sur le tillac du vaisseau qui s'enfonçait ; ils levaient tous les mains au ciel, et jetaient des clameurs effroyables : en un moment tout fut englouti.

 « Eh bien ! dit Martin, voilà comme les hommes se traitent les uns
50 les autres. – Il est vrai, dit Candide, qu'il y a quelque chose de diabo-

Vocabulaire
1. *Enrégimentés :* embrigadés, enrôlés. **2.** *Bordée :* tir d'une rangée de canons sur un navire.

lique dans cette affaire. » En parlant ainsi, il aperçut je ne sais quoi d'un rouge éclatant, qui nageait auprès de son vaisseau. On détacha la chaloupe pour voir ce que ce pouvait être : c'était un de ses moutons. Candide eut plus de joie de retrouver ce mouton, qu'il n'avait

55 été affligé d'en perdre cent tous chargés de gros diamants d'Eldorado.

Le capitaine français aperçut bientôt que le capitaine du vaisseau submergeant[1] était espagnol, et que celui du vaisseau submergé était un pirate hollandais ; c'était celui-là même qui avait volé Candide. Les richesses immenses dont ce scélérat s'était emparé furent enseve-

60 lies avec lui dans la mer, et il n'y eut qu'un mouton de sauvé. « Vous voyez, dit Candide à Martin, que le crime est puni quelquefois ; ce coquin de patron hollandais a eu le sort qu'il méritait. – Oui, dit Martin ; mais fallait-il que les passagers qui étaient sur son vaisseau périssent aussi ? Dieu a puni ce fripon, le diable a noyé les autres. »

65 Cependant le vaisseau français et l'espagnol continuèrent leur route, et Candide continua ses conversations avec Martin. Ils disputèrent quinze jours de suite, et au bout de quinze jours ils étaient aussi avancés que le premier. Mais enfin ils parlaient, ils se communiquaient des idées, ils se consolaient. Candide caressait son mouton. « Puisque

70 je t'ai retrouvé, dit-il, je pourrai bien retrouver Cunégonde. »

Chapitre 21
Candide et Martin approchent des côtes de France et raisonnent

On aperçut enfin les côtes de France. « Avez-vous jamais été en France, monsieur Martin ? dit Candide. – Oui, dit Martin, j'ai parcouru plusieurs provinces. Il y en a où la moitié des habitants est

Vocabulaire
1. *Submergeant :* ayant fait couler l'autre.

Candide ou l'Optimisme

folle, quelques unes où l'on est trop rusé, d'autres où l'on est communément assez doux et assez bête, d'autres où l'on fait le bel esprit ; et, dans toutes, la principale occupation est l'amour ; la seconde, de médire ; et la troisième, de dire des sottises. – Mais, monsieur Martin, avez-vous vu Paris ? – Oui, j'ai vu Paris ; il tient de toutes ces espèces-là ; c'est un chaos, c'est une presse[1] dans laquelle tout le monde cherche le plaisir, et où presque personne ne le trouve, du moins à ce qu'il m'a paru. J'y ai séjourné peu ; j'y fus volé, en arrivant, de tout ce que j'avais, par des filous, à la foire Saint-Germain ; on me prit moi-même pour un voleur, et je fus huit jours en prison ; après quoi je me fis correcteur d'imprimerie pour gagner de quoi retourner à pied en Hollande. Je connus la canaille écrivante[2], la canaille cabalante[3], et la canaille convulsionnaire[4]. On dit qu'il y a des gens fort polis dans cette ville-là : je le veux croire.

– Pour moi, je n'ai nulle curiosité de voir la France, dit Candide ; vous devinez aisément que quand on a passé un mois dans Eldorado, on ne se soucie plus de rien voir sur la terre que M^{lle} Cunégonde : je vais l'attendre à Venise ; nous traverserons la France pour aller en Italie ; ne m'accompagnerez-vous pas ? – Très volontiers, dit Martin ; on dit que Venise n'est bonne que pour les nobles vénitiens, mais que cependant on y reçoit très bien les étrangers quand ils ont beaucoup d'argent : je n'en ai point ; vous en avez, je vous suivrai partout. – À propos, dit Candide, pensez-vous que la terre ait été originairement une mer, comme on l'assure dans ce gros livre[5] qui appartient au capitaine du vaisseau ? – Je n'en crois rien du tout, dit

Vocabulaire

1. *Presse :* foule.
2. *Écrivante :* qui écrit (l'accord est accepté au XVIII^e siècle).
3. *Cabalante :* qui complote (l'accord est accepté au XVIII^e siècle).
4. *Convulsionnaire :* qui a des convulsions, notamment dues à des émotions religieuses. Voltaire désigne ici les jansénistes fanatiques.

5. *Ce gros livre :* un des ouvrages parus à l'époque sur la formation de la terre (peut-être l'*Histoire naturelle* de Buffon ou l'*Histoire des navigations aux terres australes* de Charles de Brosses).

Martin, non plus que de toutes les rêveries qu'on nous débite depuis
30 quelque temps. – Mais à quelle fin ce monde a-t-il donc été formé ?
dit Candide. – Pour nous faire enrager, répondit Martin. – N'êtes-
vous pas bien étonné, continua Candide, de l'amour que ces deux
filles du pays des Oreillons avaient pour ces deux singes, et dont je
vous ai conté l'aventure ? – Point du tout, dit Martin, je ne vois pas ce
35 que cette passion a d'étrange : j'ai tant vu de choses extraordinaires,
qu'il n'y a plus rien d'extraordinaire pour moi. – Croyez-vous, dit
Candide, que les hommes se soient toujours mutuellement massa-
crés comme ils font aujourd'hui ? qu'ils aient toujours été menteurs,
fourbes, perfides, ingrats, brigands, faibles, volages, lâches, envieux,
40 gourmands, ivrognes, avares, ambitieux, sanguinaires, calomnia-
teurs, débauchés, fanatiques, hypocrites, et sots ? – Croyez-vous, dit
Martin, que les éperviers aient toujours mangé des pigeons quand ils
en ont trouvé ? – Oui, sans doute, dit Candide. – Eh bien ! dit Martin,
si les éperviers ont toujours eu le même caractère, pourquoi voulez-
45 vous que les hommes aient changé le leur ? – Oh ! dit Candide, il y
a bien de la différence, car le libre arbitre[1]... » En raisonnant ainsi,
ils arrivèrent à Bordeaux.

Chapitre 22
Ce qui arriva en France à Candide et à Martin

Candide ne s'arrêta dans Bordeaux qu'autant de temps qu'il en
fallait pour vendre quelques cailloux du Dorado, et pour s'accommo-
der d'une bonne chaise à deux places : car il ne pouvait plus se passer
de son philosophe Martin ; il fut seulement très fâché de se séparer
5 de son mouton, qu'il laissa à l'Académie des sciences de Bordeaux,
laquelle proposa pour le sujet du prix de cette année de trouver

Vocabulaire
1. *Libre arbitre* : faculté humaine de pouvoir choisir selon sa seule volonté.

pourquoi la laine de ce mouton était rouge ; et le prix fut adjugé à un savant du Nord, qui démontra par A, plus B, moins C divisé par Z, que le mouton devait être rouge, et mourir de la clavelée[1].

10 Cependant tous les voyageurs que Candide rencontra dans les cabarets de la route lui disaient : « Nous allons à Paris. » Cet empressement général lui donna enfin l'envie de voir cette capitale ; ce n'était pas beaucoup se détourner du chemin de Venise. Il entra par le faubourg Saint-Marceau[2], et crut être dans le plus vilain village de 15 la Westphalie.

À peine Candide fut-il dans son auberge, qu'il fut attaqué d'une maladie légère, causée par ses fatigues. Comme il avait au doigt un diamant énorme, et qu'on avait aperçu dans son équipage une cassette prodigieusement pesante, il eut aussitôt auprès de lui deux 20 médecins qu'il n'avait pas mandés, quelques amis intimes qui ne le quittèrent pas, et deux dévotes[3] qui faisaient chauffer ses bouillons. Martin disait : « Je me souviens d'avoir été malade aussi à Paris dans mon premier voyage ; j'étais fort pauvre : aussi n'eus-je ni amis, ni dévotes, ni médecins, et je guéris. »

25 Cependant, à force de médecines et de saignées, la maladie de Candide devint sérieuse. Un habitué[4] du quartier vint avec douceur lui demander un billet payable au porteur pour l'autre monde : Candide n'en voulut rien faire ; les dévotes l'assurèrent que c'était une nouvelle mode ; Candide répondit qu'il n'était point homme à 30 la mode. Martin voulut jeter l'habitué par les fenêtres. Le clerc[5] jura qu'on n'enterrerait point Candide. Martin jura qu'il enterrerait le clerc, s'il continuait à les importuner. La querelle s'échauffa : Martin

Vocabulaire et nom propre

1. *Clavelée :* maladie des moutons.
2. *Faubourg Saint-Marceau :* quartier très pauvre de Paris au XVIIIᵉ siècle.
3. *Dévotes :* femmes très croyantes et ferventes dans leurs pratiques religieuses.

4. *Habitué :* prêtre non titulaire chargé d'une paroisse.
5. *Clerc :* membre du clergé.

le prit par les épaules, et le chassa rudement ; ce qui causa un grand scandale, dont on fit un procès-verbal.

35 Candide guérit ; et pendant sa convalescence il eut très bonne compagnie à souper chez lui. On jouait gros jeu. Candide était tout étonné que jamais les as ne lui vinssent ; et Martin ne s'en étonnait pas.

 Parmi ceux qui lui faisaient les honneurs de la ville, il y avait un
40 petit abbé périgourdin, l'un de ces gens empressés, toujours alertes, toujours serviables, effrontés, caressants, accommodants, qui guettent les étrangers à leur passage, leur content l'histoire scandaleuse de la ville, et leur offrent des plaisirs à tout prix. Celui-ci mena d'abord Candide et Martin à la comédie. On y jouait une tragédie nouvelle.
45 Candide se trouva placé auprès de quelques beaux esprits. Cela ne l'empêcha pas de pleurer à des scènes jouées parfaitement. Un des raisonneurs qui étaient à ses côtés lui dit dans un entracte : « Vous avez grand tort de pleurer, cette actrice est fort mauvaise ; l'acteur qui joue avec elle est plus mauvais acteur encore ; la pièce est encore
50 plus mauvaise que les acteurs ; l'auteur ne sait pas un mot d'arabe, et cependant la scène est en Arabie ; et, de plus, c'est un homme qui ne croit pas aux idées innées[1] ; je vous apporterai demain vingt brochures contre lui. – Monsieur, combien avez-vous de pièces de théâtre en France ? » dit Candide à l'abbé ; lequel répondit : « Cinq ou six
55 mille. – C'est beaucoup, dit Candide ; combien y en a-t-il de bonnes ? – Quinze ou seize, répliqua l'autre. – C'est beaucoup, » dit Martin.

 Candide fut très content d'une actrice qui faisait la reine Élizabeth, dans une assez plate tragédie, que l'on joue quelquefois. « Cette actrice, dit-il à Martin, me plaît beaucoup ; elle a un faux
60 air de Mlle Cunégonde ; je serais bien aise de la saluer. » L'abbé périgourdin s'offrit à l'introduire chez elle. Candide, élevé en Allemagne,

Vocabulaire
1. *Innées :* que l'on a à la naissance.

demanda quelle était l'étiquette[1], et comment on traitait en France les reines d'Angleterre. « Il faut distinguer, dit l'abbé ; en province, on les mène au cabaret ; à Paris, on les respecte quand elles sont belles,
65 et on les jette à la voirie[2] quand elles sont mortes. – Des reines à la voirie ! dit Candide. – Oui vraiment, dit Martin ; monsieur l'abbé a raison : j'étais à Paris quand M^{lle} Monime[3] passa, comme on dit, de cette vie à l'autre ; on lui refusa ce que ces gens-ci appellent *les honneurs de la sépulture*, c'est-à-dire de pourrir avec tous les gueux
70 du quartier dans un vilain cimetière ; elle fut enterrée toute seule de sa bande[4] au coin de la rue de Bourgogne ; ce qui dut lui faire une peine extrême, car elle pensait très noblement. – Cela est bien impoli, dit Candide. – Que voulez-vous ? dit Martin ; ces gens-ci sont ainsi faits. Imaginez toutes les contradictions, toutes les incompatibilités
75 possibles, vous les verrez dans le gouvernement, dans les tribunaux, dans les églises, dans les spectacles de cette drôle de nation. – Est-il vrai qu'on rit toujours à Paris ? dit Candide. – Oui, dit l'abbé, mais c'est en enrageant : car on s'y plaint de tout avec de grands éclats de rire ; même on y fait en riant les actions les plus détestables.

80 – Quel est, dit Candide, ce gros cochon qui me disait tant de mal de la pièce où j'ai tant pleuré, et des acteurs qui m'ont fait tant de plaisir ? – C'est un mal-vivant, répondit l'abbé, qui gagne sa vie à dire du mal de toutes les pièces et de tous les livres ; il hait quiconque réussit, comme les eunuques haïssent les jouissants ; c'est un de ces
85 serpents de la littérature qui se nourrissent de fange et de venin ; c'est un folliculaire. – Qu'appelez-vous folliculaire ? dit Candide. – C'est, dit l'abbé, un faiseur de feuilles[5], un Fréron[6]. »

Vocabulaire et noms propres

1. *Étiquette* : ensemble des codes d'un cérémonial à respecter.
2. *Voirie* : décharge. Les acteurs n'avaient pas le droit à une sépulture religieuse.
3. *M^{lle} Monime* : nom fictif d'actrice (peut-être Adrienne Lecouvreur qui fut enterrée dans un terrain vague).

4. *De sa bande* : à l'écart.
5. *Feuilles* : pages de journal.
6. *Fréron* : ennemi juré de Voltaire et des philosophes des Lumières qu'il critique dans son journal, *L'Année littéraire*.

C'est ainsi que Candide, Martin, et le Périgourdin, raisonnaient sur l'escalier, en voyant défiler le monde au sortir de la pièce. « Quoique je 90 sois très empressé de revoir M^lle Cunégonde, dit Candide, je voudrais pourtant souper avec M^lle Clairon[1], car elle m'a paru admirable. »

L'abbé n'était pas homme à approcher de M^lle Clairon, qui ne voyait que bonne compagnie. « Elle est engagée pour ce soir, dit-il ; mais j'aurai l'honneur de vous mener chez une dame de qualité, 95 et là vous connaîtrez Paris comme si vous y aviez été quatre ans. »

Candide, qui était naturellement curieux, se laissa mener chez la dame, au fond du faubourg Saint-Honoré ; on y était occupé d'un pharaon[2] ; douze tristes pontes[3] tenaient chacun en main un petit livre de cartes, registre cornu de leurs infortunes. Un profond silence 100 régnait, la pâleur était sur le front des pontes, l'inquiétude sur celui du banquier ; et la dame du logis, assise auprès de ce banquier impitoyable, remarquait avec des yeux de lynx tous les parolis[4], tous les sept-et-le-va de campagne[5], dont chaque joueur cornait ses cartes ; elle les faisait décorner avec une attention sévère, mais polie, et ne 105 se fâchait point, de peur de perdre ses pratiques[6]. La dame se faisait appeler la marquise de Parolignac. Sa fille, âgée de quinze ans, était au nombre des pontes, et avertissait d'un clin d'œil des friponneries de ces pauvres gens qui tâchaient de réparer les cruautés du sort. L'abbé périgourdin, Candide, et Martin, entrèrent ; personne ne se 110 leva, ni les salua, ni les regarda ; tous étaient profondément occupés de leurs cartes. « M^me la baronne de Thunder-ten-tronckh était plus civile », dit Candide.

Cependant l'abbé s'approcha de l'oreille de la marquise, qui se leva

Vocabulaire et nom propre

1. *M^lle Clairon :* comédienne que Voltaire admirait et qui a joué dans quelques-unes de ses pièces de théâtre.
2. *Pharaon :* jeu de cartes à la mode au XVIII^e siècle.
3. *Pontes :* joueurs de cartes qui misent contre la banque.

4. *Parolis :* doubles mises.
5. *Sept-et-le-va de campagne :* sorte de quitte ou double qui permettait de multiplier sept fois son gain ou de tout perdre.
6. *Pratiques :* clients.

à moitié, honora Candide d'un sourire gracieux, et Martin d'un air de
115 tête tout à fait noble ; elle fit donner un siège et un jeu de cartes à
Candide, qui perdit cinquante mille francs en deux tailles[1] ; après quoi
on soupa très gaiement ; et tout le monde était étonné que Candide ne
fût pas ému de sa perte ; les laquais disaient entre eux, dans leur langage
de laquais : « Il faut que ce soit quelque milord[2] anglais. »

120 Le souper fut comme la plupart des soupers de Paris, d'abord
du silence, ensuite un bruit de paroles qu'on ne distingue point,
puis des plaisanteries dont la plupart sont insipides, de fausses nou-
velles, de mauvais raisonnements, un peu de politique, et beaucoup
de médisance : on parla même de livres nouveaux. « Avez-vous vu,
125 dit l'abbé périgourdin, le roman du sieur Gauchat, docteur en théolo-
gie ? – Oui, répondit un des convives ; mais je n'ai pu l'achever. Nous
avons une foule d'écrits impertinents ; mais tous ensemble n'appro-
chent pas de l'impertinence de Gauchat[3], docteur en théologie[4] ;
je suis si rassasié de cette immensité de détestables livres qui nous
130 inondent que je me suis mis à ponter au pharaon. – Et les *Mélanges*
de l'archidiacre T…[5], qu'en dites-vous ? dit l'abbé. – Ah ! dit M^me
de Parolignac, l'ennuyeux mortel ! comme il vous dit curieusement
ce que tout le monde sait ! comme il discute pesamment ce qui ne
vaut pas la peine d'être remarqué légèrement ! comme il s'approprie,
135 sans esprit, l'esprit des autres ! comme il gâte ce qu'il pille ! comme
il me dégoûte ! mais il ne me dégoûtera plus ; c'est assez d'avoir lu
quelques pages de l'archidiacre. »

Il y avait à table un homme savant et de goût qui appuya ce que
disait la marquise. On parla ensuite de tragédies ; la dame demanda
140 pourquoi il y avait des tragédies qu'on jouait quelquefois, et qu'on ne
pouvait lire. L'homme de goût expliqua très bien comment une pièce

Vocabulaire et noms propres
1. *Tailles* : levées de cartes.
2. *Milord* : noble.
3. *Gauchat* : adversaire des encyclo-
pédistes.

4. *Théologie* : étude de la religion.
5. *Archidiacre T…* : allusion à l'abbé
Trublet, opposé aux philosophes des
Lumières.

pouvait avoir quelque intérêt, et n'avoir presque aucun mérite ; il prouva en peu de mots que ce n'était pas assez d'amener une ou deux de ces situations qu'on trouve dans tous les romans, et qui séduisent
145 toujours les spectateurs ; mais qu'il faut être neuf sans être bizarre, souvent sublime et toujours naturel, connaître le cœur humain et le faire parler ; être grand poète, sans que jamais aucun personnage de la pièce paraisse poète ; savoir parfaitement sa langue, la parler avec pureté, avec une harmonie continue, sans que jamais la rime
150 coûte rien au sens. « Quiconque, ajouta-t-il, n'observe pas toutes ces règles, peut faire une ou deux tragédies applaudies au théâtre, mais il ne sera jamais compté au rang des bons écrivains ; il y a très peu de bonnes tragédies : les unes sont des idylles[1] en dialogues bien écrits et bien rimés ; les autres, des raisonnements politiques qui
155 endorment, ou des amplifications qui rebutent ; les autres, des rêves d'énergumène[2], en style barbare, des propos interrompus, de longues apostrophes aux dieux, parce qu'on ne sait point parler aux hommes, des maximes fausses, des lieux communs ampoulés[3]. »

Candide écouta ce propos avec attention, et conçut une grande
160 idée du discoureur ; et, comme la marquise avait eu soin de le placer à côté d'elle, il s'approcha de son oreille, et prit la liberté de lui demander qui était cet homme qui parlait si bien. « C'est un savant, dit la dame, qui ne ponte point, et que l'abbé m'amène quelquefois à souper ; il se connaît parfaitement en tragédies et en livres, et il a
165 fait une tragédie sifflée, et un livre dont on n'a jamais vu hors de la boutique de son libraire qu'un exemplaire qu'il m'a dédié. – Le grand homme ! dit Candide, c'est un autre Pangloss. »

Alors, se tournant vers lui, il lui dit : « Monsieur, vous pensez, sans doute, que tout est au mieux dans le monde physique et dans le moral,
170 et que rien ne pouvait être autrement ? « Moi, monsieur, lui répondit

Vocabulaire
1. *Idylles :* poèmes amoureux.
2. *Énergumène :* exalté, extravagant.
3. *Ampoulés :* pompeux, pleins d'emphase.

Candide ou l'Optimisme

le savant, je ne pense rien de tout cela ; je trouve que tout va de travers chez nous ; que personne ne sait ni quel est son rang, ni quelle est sa charge, ni ce qu'il fait, ni ce qu'il doit faire, et qu'excepté le souper, qui est assez gai, et où il paraît assez d'union, tout le reste du temps se
175 passe en querelles impertinentes : jansénistes contre molinistes[1], gens du parlement contre gens d'église, gens de lettres contre gens de lettres, courtisans contre courtisans, financiers contre le peuple, femmes contre maris, parents contre parents ; c'est une guerre éternelle. »

Candide lui répliqua : « J'ai vu pis : mais un sage, qui depuis a
180 eu le malheur d'être pendu, m'apprit que tout cela est à merveille : ce sont des ombres à un beau tableau. – Votre pendu se moquait du monde, dit Martin ; vos ombres sont des taches horribles. – Ce sont les hommes qui font les taches, dit Candide, et ils ne peuvent pas s'en dispenser. – Ce n'est donc pas leur faute, dit Martin. » La
185 plupart des pontes, qui n'entendaient rien à ce langage, buvaient ; et Martin raisonna avec le savant, et Candide raconta une partie de ses aventures à la dame du logis.

Après souper, la marquise mena Candide dans son cabinet, et le fit asseoir sur un canapé. « Eh bien ! lui dit-elle, vous aimez donc
190 toujours éperdument Mlle Cunégonde de Thunder-ten-tronckh ? – Oui, madame, » répondit Candide. La marquise lui répliqua avec un souris tendre : « Vous me répondez comme un jeune homme de Westphalie ; un Français m'aurait dit : Il est vrai que j'ai aimé Mlle Cunégonde ; mais en vous voyant, madame, je crains de ne la plus
195 aimer. – Hélas ! madame, dit Candide, je répondrai comme vous voudrez. – Votre passion pour elle, dit la marquise, a commencé en ramassant son mouchoir ; je veux que vous ramassiez ma jarretière. – De tout mon cœur », dit Candide ; et il la ramassa. « Mais je veux que vous me la remettiez », dit la dame ; et Candide la lui remit.

Vocabulaire
1. *Jansénistes, molinistes :* ces partisans s'opposaient sur les théories du libre arbitre et de la prédestination.

200 « Voyez-vous, dit la dame, vous êtes étranger ; je fais quelquefois languir mes amants de Paris quinze jours, mais je me rends à vous dès la première nuit, parce qu'il faut faire les honneurs de son pays à un jeune homme de Westphalie. » La belle ayant aperçu deux énormes diamants aux deux mains de son jeune étranger, les loua de si bonne
205 foi, que des doigts de Candide ils passèrent aux doigts de la marquise.

Candide, en s'en retournant avec son abbé périgourdin, sentit quelques remords d'avoir fait une infidélité à M^lle Cunégonde. M. l'abbé entra dans sa peine ; il n'avait qu'une légère part aux cinquante mille livres perdues au jeu par Candide, et à la valeur des deux
210 brillants moitié donnés, moitié extorqués. Son dessein était de profiter, autant qu'il le pourrait, des avantages que la connaissance de Candide pouvait lui procurer. Il lui parla beaucoup de Cunégonde ; et Candide lui dit qu'il demanderait bien pardon à cette belle de son infidélité, quand il la verrait à Venise.

215 Le Périgourdin redoublait de politesses et d'attentions, et prenait un intérêt tendre à tout ce que Candide disait, à tout ce qu'il faisait, à tout ce qu'il voulait faire.

« Vous avez donc, monsieur, lui dit-il, un rendez-vous à Venise ? – Oui, monsieur l'abbé, dit Candide ; il faut absolument que j'aille
220 trouver M^lle Cunégonde. » Alors, engagé par le plaisir de parler de ce qu'il aimait, il conta, selon son usage, une partie de ses aventures avec cette illustre Westphalienne.

« Je crois, dit l'abbé, que M^lle Cunégonde a bien de l'esprit, et qu'elle écrit des lettres charmantes. – Je n'en ai jamais reçu, dit
225 Candide ; car, figurez-vous qu'ayant été chassé du château pour l'amour d'elle, je ne pus lui écrire ; que bientôt après j'appris qu'elle était morte, qu'ensuite je la retrouvai, et que je la perdis, et que je lui ai envoyé à deux mille cinq cents lieues d'ici un exprès[1] dont j'attends la réponse. »

Vocabulaire
1. *Un exprès :* une lettre.

Candide ou l'Optimisme

230 L'abbé écoutait attentivement, et paraissait un peu rêveur. Il prit bientôt congé des deux étrangers, après les avoir tendrement embrassés. Le lendemain Candide reçut à son réveil une lettre conçue en ces termes :

 « Monsieur mon très cher amant, il y a huit jours que je suis
235 malade en cette ville ; j'apprends que vous y êtes. Je volerais dans vos bras si je pouvais remuer. J'ai su votre passage à Bordeaux ; j'y ai laissé le fidèle Cacambo et la vieille, qui doivent bientôt me suivre. Le gouverneur de Buenos-Ayres a tout pris, mais il me reste votre cœur. Venez ; votre présence me rendra la vie ou me fera mourir
240 de plaisir. »

 Cette lettre charmante, cette lettre inespérée, transporta Candide d'une joie inexprimable ; et la maladie de sa chère Cunégonde l'accabla de douleur. Partagé entre ces deux sentiments, il prend son or et ses diamants, et se fait conduire avec Martin à l'hôtel où
245 M^lle Cunégonde demeurait. Il entre en tremblant d'émotion, son cœur palpite, sa voix sanglote ; il veut ouvrir les rideaux du lit ; il veut faire apporter de la lumière. « Gardez-vous-en bien, lui dit la suivante ; la lumière la tue » ; et soudain elle referme le rideau. « Ma chère Cunégonde, dit Candide en pleurant, comment vous portez-
250 vous ? si vous ne pouvez me voir, parlez-moi du moins. – Elle ne peut parler, dit la suivante. » La dame alors tire du lit une main potelée que Candide arrose longtemps de ses larmes, et qu'il remplit ensuite de diamants, en laissant un sac plein d'or sur le fauteuil. Au milieu de ses transports[1] arrive un exempt[2] suivi de l'abbé périgourdin et
255 d'une escouade[3]. « Voilà donc, dit-il, ces deux étrangers suspects ? » Il les fait incontinent saisir, et ordonne à ses braves de les traîner en prison. « Ce n'est pas ainsi qu'on traite les voyageurs dans Eldorado, dit Candide. – Je suis plus manichéen que jamais, dit Martin. – Mais,

Vocabulaire
1. *Transports* : vives émotions.
2. *Exempt* : officier de police.
3. *Escouade* : brigade de policiers.

monsieur, où nous menez-vous ? dit Candide. – Dans un cul de
260 basse-fosse[1] », dit l'exempt.

Martin, ayant repris son sang froid, jugea que la dame qui se pré-
tendait Cunégonde était une friponne, monsieur l'abbé périgourdin
un fripon, qui avait abusé au plus vite de l'innocence de Candide,
et l'exempt un autre fripon dont on pouvait aisément se débarrasser.

265 Plutôt que de s'exposer aux procédures de la justice, Candide,
éclairé par son conseil, et d'ailleurs toujours impatient de revoir la
véritable Cunégonde, propose à l'exempt trois petits diamants d'en-
viron trois mille pistoles chacun. « Ah ! monsieur, lui dit l'homme
au bâton d'ivoire[2], eussiez-vous commis tous les crimes imaginables,
270 vous êtes le plus honnête homme du monde ; trois diamants ! cha-
cun de trois mille pistoles ! Monsieur ! je me ferais tuer pour vous,
au lieu de vous mener dans un cachot. On arrête tous les étrangers,
mais laissez-moi faire ; j'ai un frère à Dieppe en Normandie ; je vais
vous y mener ; et si vous avez quelque diamant à lui donner, il aura
275 soin de vous comme moi-même. – Et pourquoi arrête-t-on tous les
étrangers ? » dit Candide.

L'abbé périgourdin prit alors la parole, et dit : « C'est parce qu'un
gueux du pays d'Atrébatie[3] a entendu dire des sottises ; cela seul lui a
fait commettre un parricide[4], non pas tel que celui de 1610 au mois
280 de mai[5], mais tel que celui de 1594 au mois de décembre[6], et tel que
plusieurs autres commis dans d'autres années et dans d'autres mois
par d'autres gueux qui avaient entendu dire des sottises. »

L'exempt alors expliqua de quoi il s'agissait. « Ah ! les monstres !
s'écria Candide ; quoi ! de telles horreurs chez un peuple qui danse et

Vocabulaire et nom propre

1. *Cul de basse-fosse :* cachot.
2. *L'homme au bâton d'ivoire :* l'exempt.
3. *Un gueux du pays d'Atrébatie :* allusion au régicide Robert-François Damiens, né en Artois.
4. *Parricide :* meurtre du père, ici équivalent du régicide.

5. *Celui de 1610 au mois de mai :* l'assassinat du roi Henri IV par Ravaillac.
6. *Celui de 1594 au mois de décembre :* allusion à la tentative d'assassinat sur le roi Henri IV par Jean Châtel.

285 qui chante ! Ne pourrai-je sortir au plus vite de ce pays où des singes
agacent des tigres ? J'ai vu des ours dans mon pays ; je n'ai vu des
hommes que dans le Dorado. Au nom de Dieu, monsieur l'exempt,
menez-moi à Venise, où je dois attendre Mlle Cunégonde. – Je ne
peux vous mener qu'en Basse-Normandie, dit le barigel[1]. » Aussitôt
290 il lui fait ôter ses fers, dit qu'il s'est mépris, renvoie ses gens, emmène
à Dieppe Candide et Martin, et les laisse entre les mains de son
frère. Il y avait un petit vaisseau hollandais à la rade. Le Normand, à
l'aide de trois autres diamants, devenu le plus serviable des hommes,
embarque Candide et ses gens dans le vaisseau qui allait faire voile
295 pour Portsmouth en Angleterre. Ce n'était pas le chemin de Venise ;
mais Candide croyait être délivré de l'enfer ; et il comptait bien
reprendre la route de Venise à la première occasion.

Chapitre 23
Candide et Martin vont sur les côtes d'Angleterre ;
ce qu'ils y voient

« Ah ! Pangloss ! Pangloss ! Ah ! Martin ! Martin ! Ah ! ma chère
Cunégonde ! qu'est-ce que ce monde-ci ? disait Candide sur le vais-
seau hollandais. – Quelque chose de bien fou et de bien abominable,
répondait Martin. – Vous connaissez l'Angleterre ; y est-on aussi fou
5 qu'en France ? – C'est une autre espèce de folie, dit Martin. Vous
savez que ces deux nations sont en guerre pour quelques arpents[2]
de neige vers le Canada, et qu'elles dépensent pour cette belle guerre
beaucoup plus que tout le Canada ne vaut. De vous dire précisément
s'il y a plus de gens à lier[3] dans un pays que dans un autre, c'est ce

Vocabulaire
1. *Barigel :* chef des gendarmes en Italie.
2. *Arpent :* ancienne mesure.
3. *À lier :* fous à lier.

10 que mes faibles lumières ne me permettent pas ; je sais seulement
qu'en général les gens que nous allons voir sont fort atrabilaires[1]. »

En causant ainsi ils abordèrent à Portsmouth ; une multitude de
peuple couvrait le rivage, et regardait attentivement un assez gros
homme qui était à genoux, les yeux bandés, sur le tillac d'un des
15 vaisseaux de la flotte ; quatre soldats, postés vis-à-vis de cet homme,
lui tirèrent chacun trois balles dans le crâne, le plus paisiblement du
monde ; et toute l'assemblée s'en retourna extrêmement satisfaite.
« Qu'est-ce donc que tout ceci ? dit Candide ; et quel démon exerce
partout son empire ? » Il demanda qui était ce gros homme qu'on
20 venait de tuer en cérémonie. « C'est un amiral, lui répondit-on. – Et
pourquoi tuer cet amiral ? – C'est, lui dit-on, parce qu'il n'a pas fait
tuer assez de monde ; il a livré un combat à un amiral français, et
on a trouvé qu'il n'était pas assez près de lui. – Mais, dit Candide,
l'amiral français était aussi loin de l'amiral anglais que celui-ci l'était
25 de l'autre ! – Cela est incontestable, lui répliqua-t-on ; mais dans ce
pays-ci il est bon de tuer de temps en temps un amiral pour encou-
rager les autres. »

Candide fut si étourdi et si choqué de ce qu'il voyait et de ce qu'il
entendait, qu'il ne voulut pas seulement mettre pied à terre, et qu'il
30 fit son marché avec le patron hollandais (dût-il le voler comme celui
de Surinam), pour le conduire sans délai à Venise.

Le patron fut prêt au bout de deux jours. On côtoya la France ;
on passa à la vue de Lisbonne, et Candide frémit. On entra dans le
détroit et dans la Méditerranée, enfin on aborda à Venise. « Dieu soit
35 loué ! dit Candide, en embrassant Martin ; c'est ici que je reverrai
la belle Cunégonde. Je compte sur Cacambo comme sur moi-même.
Tout est bien, tout va bien, tout va le mieux qu'il soit possible. »

Vocabulaire
1. *Fort atrabilaires :* de très mauvaise humeur.

Candide ou l'Optimisme

Chapitre 24
De Paquette et de frère Giroflée

Dès qu'il fut à Venise, il fit chercher Cacambo dans tous les caba-
rets, dans tous les cafés, chez toutes les filles de joie[1], et ne le trouva
point. Il envoyait tous les jours à la découverte de tous les vaisseaux et
de toutes les barques : nulles nouvelles de Cacambo. « Quoi ! disait-il
5 à Martin, j'ai eu le temps de passer de Surinam à Bordeaux, d'aller
de Bordeaux à Paris, de Paris à Dieppe, de Dieppe à Portsmouth, de
côtoyer le Portugal et l'Espagne, de traverser toute la Méditerranée,
de passer quelques mois à Venise ; et la belle Cunégonde n'est point
venue ! Je n'ai rencontré au lieu d'elle qu'une drôlesse[2] et un abbé
10 périgourdin ! Cunégonde est morte, sans doute ; je n'ai plus qu'à
mourir. Ah ! il valait mieux rester dans le paradis du Dorado que de
revenir dans cette maudite Europe. Que vous avez raison, mon cher
Martin ! tout n'est qu'illusion et calamité[3]. »

Il tomba dans une mélancolie noire, et ne prit aucune part à
15 l'opéra *alla moda*[4], ni aux autres divertissements du carnaval ; pas
une dame ne lui donna la moindre tentation. Martin lui dit : « Vous
êtes bien simple, en vérité, de vous figurer qu'un valet métis, qui a
cinq ou six millions dans ses poches, ira chercher votre maîtresse
au bout du monde, et vous l'amènera à Venise. Il la prendra pour
20 lui, s'il la trouve ; s'il ne la trouve pas, il en prendra une autre :
je vous conseille d'oublier votre valet Cacambo et votre maîtresse
Cunégonde. » Martin n'était pas consolant. La mélancolie de
Candide augmenta, et Martin ne cessait de lui prouver qu'il y avait
peu de vertu et peu de bonheur sur la terre ; excepté peut-être dans
25 Eldorado, où personne ne pouvait aller.

Vocabulaire et traduction
1. *Filles de joie :* prostituées.
2. *Drôlesse :* femme peu recomman-
dable.
3. *Calamité :* grand malheur.
4. *Alla moda :* à la mode.

En disputant sur cette matière importante, et en attendant
Cunégonde, Candide aperçut un jeune théatin[1] dans la place Saint-
Marc, qui tenait sous le bras une fille. Le théatin paraissait frais,
potelé, vigoureux ; ses yeux étaient brillants, son air assuré, sa mine
30 haute, sa démarche fière. La fille était très jolie, et chantait ; elle regar-
dait amoureusement son théatin, et de temps en temps lui pinçait
ses grosses joues. « Vous m'avouerez du moins, dit Candide à Martin,
que ces gens-ci sont heureux. Je n'ai trouvé jusqu'à présent dans
toute la terre habitable, excepté dans Eldorado, que des infortunés ;
35 mais pour cette fille et ce théatin, je gage que ce sont des créatures
très heureuses. – Je gage que non, dit Martin. – Il n'y a qu'à les prier
à dîner, dit Candide, et vous verrez si je me trompe. »

Aussitôt il les aborde, il leur fait son compliment, et les invite
à venir à son hôtellerie manger des macaronis, des perdrix de
40 Lombardie, des œufs d'esturgeon, et à boire du vin de Montepulciano,
du lacryma-christi, du chypre, et du samos. La demoiselle rougit, le
théatin accepta la partie[2], et la fille le suivit en regardant Candide avec
des yeux de surprise et de confusion, qui furent obscurcis de quelques
larmes. À peine fut-elle entrée dans la chambre de Candide, qu'elle
45 lui dit : « Eh quoi ! monsieur Candide ne reconnaît plus Paquette ! »

À ces mots Candide, qui ne l'avait pas considérée jusque-là avec
attention, parce qu'il n'était occupé que de Cunégonde, lui dit :
« Hélas ! ma pauvre enfant, c'est donc vous qui avez mis le docteur
Pangloss dans le bel état où je l'ai vu ?

50 – Hélas ! monsieur, c'est moi-même, dit Paquette ; je vois que vous
êtes instruit de tout. J'ai su les malheurs épouvantables arrivés à toute
la maison de madame la baronne et à la belle Cunégonde. Je vous
jure que ma destinée n'a guère été moins triste. J'étais fort innocente
quand vous m'avez vue. Un cordelier, qui était mon confesseur, me

Vocabulaire
1. *Théatin :* moine d'un ordre qui in-
terdisait la mendicité à ses membres.

2. *Partie :* partie de plaisir.

55 séduisit aisément. Les suites en furent affreuses ; je fus obligée de sor-
tir du château quelque temps après que monsieur le baron vous eut
renvoyé à grands coups de pied dans le derrière. Si un fameux méde-
cin n'avait pas pris pitié de moi, j'étais morte. Je fus quelque temps
par reconnaissance la maîtresse de ce médecin. Sa femme, qui était
60 jalouse à la rage, me battait tous les jours impitoyablement ; c'était
une furie. Ce médecin était le plus laid de tous les hommes, et moi
la plus malheureuse de toutes les créatures d'être battue continuel-
lement pour un homme que je n'aimais pas. Vous savez, monsieur,
combien il est dangereux pour une femme acariâtre d'être l'épouse
65 d'un médecin. Celui-ci, outré des procédés de sa femme, lui donna un
jour, pour la guérir d'un petit rhume, une médecine si efficace, qu'elle
en mourut en deux heures de temps dans des convulsions horribles.
Les parents de madame intentèrent à monsieur un procès criminel ; il
prit la fuite, et moi je fus mise en prison. Mon innocence ne m'aurait
70 pas sauvée si je n'avais été un peu jolie. Le juge m'élargit[1] à condi-
tion qu'il succéderait au médecin. Je fus bientôt supplantée par une
rivale, chassée sans récompense, et obligée de continuer ce métier
abominable qui vous paraît si plaisant à vous autres hommes, et qui
n'est pour nous qu'un abîme de misère. J'allai exercer la profession
75 à Venise. Ah ! monsieur, si vous pouviez vous imaginer ce que c'est
que d'être obligée de caresser indifféremment un vieux marchand,
un avocat, un moine, un gondolier, un abbé ; d'être exposée à toutes
les insultes, à toutes les avanies[2] ; d'être souvent réduite à emprunter
une jupe pour aller se la faire lever par un homme dégoûtant ; d'être
80 volée par l'un de ce qu'on a gagné avec l'autre ; d'être rançonnée par
les officiers de justice, et de n'avoir en perspective qu'une vieillesse
affreuse, un hôpital, et un fumier[3], vous concluriez que je suis une
des plus malheureuses créatures du monde. »

Vocabulaire
1. *M'élargit :* me libéra.
2. *Avanies :* humiliations, offenses.
3. *Fumier :* lieu où pourrissent les or-
dures.

Paquette ouvrait ainsi son cœur au bon Candide, dans un cabinet,
85 en présence de Martin, qui disait à Candide : « Vous voyez que j'ai
déjà gagné la moitié de la gageure. »

Frère Giroflée était resté dans la salle à manger, et buvait un coup
en attendant le dîner. « Mais, dit Candide à Paquette, vous aviez l'air
si gai, si content, quand je vous ai rencontrée ; vous chantiez, vous
90 caressiez le théatin avec une complaisance naturelle ; vous m'avez
paru aussi heureuse que vous prétendez être infortunée. – Ah ! mon-
sieur, répondit Paquette, c'est encore là une des misères du métier.
J'ai été hier volée et battue par un officier, et il faut aujourd'hui que
je paraisse de bonne humeur pour plaire à un moine. »

95 Candide n'en voulut pas davantage ; il avoua que Martin avait
raison. On se mit à table avec Paquette et le théatin ; le repas fut assez
amusant, et sur la fin on se parla avec quelque confiance. « Mon
père, dit Candide au moine, vous me paraissez jouir d'une destinée
que tout le monde doit envier ; la fleur de la santé brille sur votre
100 visage, votre physionomie annonce le bonheur ; vous avez une très
jolie fille pour votre récréation, et vous paraissez très content de
votre état de théatin.

– Ma foi, monsieur, dit frère Giroflée, je voudrais que tous les
théatins fussent au fond de la mer. J'ai été tenté cent fois de mettre
105 le feu au couvent, et d'aller me faire turc[1]. Mes parents me forcèrent,
à l'âge de quinze ans, d'endosser cette détestable robe, pour laisser
plus de fortune à un maudit frère aîné, que Dieu confonde ! La jalou-
sie, la discorde, la rage, habitent dans le couvent. Il est vrai que j'ai
prêché quelques mauvais sermons qui m'ont valu un peu d'argent
110 dont le prieur me vole la moitié ; le reste me sert à entretenir des
filles ; mais quand je rentre le soir dans le monastère, je suis prêt à
me casser la tête contre les murs du dortoir ; et tous mes confrères
sont dans le même cas. »

Vocabulaire
1. *D'aller me faire turc :* de devenir musulman.

Candide ou l'Optimisme

Martin se tournant vers Candide avec son sang-froid ordinaire :
115 « Eh bien ! lui dit-il, n'ai-je pas gagné la gageure tout entière ? »
Candide donna deux mille piastres à Paquette, et mille piastres à frère
Giroflée. « Je vous réponds, dit-il, qu'avec cela ils seront heureux.
– Je n'en crois rien du tout, dit Martin ; vous les rendrez peut-être
avec ces piastres beaucoup plus malheureux encore. – Il en sera ce
120 qui pourra, dit Candide ; mais une chose me console, je vois qu'on
retrouve souvent les gens qu'on ne croyait jamais retrouver : il se
pourra bien faire qu'ayant rencontré mon mouton rouge et Paquette,
je rencontre aussi Cunégonde. – Je souhaite, dit Martin, qu'elle fasse
un jour votre bonheur ; mais c'est de quoi je doute fort. – Vous êtes
125 bien dur, dit Candide. – C'est que j'ai vécu, dit Martin. – Mais regar-
dez ces gondoliers, dit Candide ; ne chantent-ils pas sans cesse ? –
Vous ne les voyez pas dans leur ménage, avec leurs femmes et leurs
marmots d'enfants, dit Martin. Le doge[1] a ses chagrins, les gondoliers
ont les leurs. Il est vrai qu'à tout prendre le sort d'un gondolier est
130 préférable à celui d'un doge ; mais je crois la différence si médiocre,
que cela ne vaut pas la peine d'être examiné.

– On parle, dit Candide, du sénateur Pococuranté[2], qui demeure
dans ce beau palais sur la Brenta, et qui reçoit assez bien les étrangers.
On prétend que c'est un homme qui n'a jamais eu de chagrin. – Je
135 voudrais voir une espèce si rare », dit Martin. Candide aussitôt fit
demander au seigneur Pococuranté la permission de venir le voir le
lendemain.

Vocabulaire et nom propre
1. *Doge* : dirigeant élu de la Répu-
blique de Venise.

2. *Pococuranté* : celui qui n'a que
faire des choses (nom inventé par
Voltaire, d'après l'italien).

Chapitre 25
Visite chez le seigneur Pococuranté, noble Vénitien

Candide et Martin allèrent en gondole sur la Brenta, et arrivèrent au palais du noble Pococuranté. Les jardins étaient bien entendus[1], et ornés de belles statues de marbre ; le palais d'une belle architecture. Le maître du logis, homme de soixante ans, fort riche, reçut très
5 poliment les deux curieux, mais avec très peu d'empressement, ce qui déconcerta Candide, et ne déplut point à Martin.

D'abord deux filles jolies et proprement mises servirent du chocolat, qu'elles firent très bien mousser. Candide ne put s'empêcher de les louer sur leur beauté, sur leur bonne grâce, et sur leur adresse.
10 « Ce sont d'assez bonnes créatures, dit le sénateur Pococuranté ; je les fais quelquefois coucher dans mon lit, car je suis bien las des dames de la ville, de leurs coquetteries, de leurs jalousies, de leurs querelles, de leurs humeurs, de leurs petitesses, de leur orgueil, de leurs sottises, et des sonnets qu'il faut faire ou commander pour elles ; mais, après
15 tout, ces deux filles commencent fort à m'ennuyer. »

Candide, après le déjeuner, se promenant dans une longue galerie, fut surpris de la beauté des tableaux. Il demanda de quel maître étaient les deux premiers. « Ils sont de Raphaël[2], dit le sénateur ; je les achetai fort cher par vanité, il y a quelques années ; on dit que
20 c'est ce qu'il y a de plus beau en Italie, mais ils ne me plaisent point du tout : la couleur en est très rembrunie, les figures ne sont pas assez arrondies, et ne sortent point assez ; les draperies ne ressemblent en rien à une étoffe : en un mot, quoi qu'on en dise, je ne trouve point là une imitation vraie de la nature. Je n'aimerai un tableau que quand
25 je croirai voir la nature elle-même : il n'y en a point de cette espèce. J'ai beaucoup de tableaux, mais je ne les regarde plus. »

Vocabulaire et nom propre
1. *Bien entendus :* bien conçus, bien imaginés.

2. *Raphaël :* peintre italien de la Renaissance que Voltaire n'appréciait pas.

Candide ou l'Optimisme

Pococuranté, en attendant le dîner, se fit donner un concerto. Candide trouva la musique délicieuse. « Ce bruit, dit Pococuranté, peut amuser une demi-heure ; mais s'il dure plus longtemps, il fatigue tout le monde, quoique personne n'ose l'avouer. La musique aujourd'hui n'est plus que l'art d'exécuter des choses difficiles, et ce qui n'est que difficile ne plaît point à la longue.

« J'aimerais peut-être mieux l'opéra, si on n'avait pas trouvé le secret d'en faire un monstre qui me révolte. Ira voir qui voudra de mauvaises tragédies en musique, où les scènes ne sont faites que pour amener très mal à propos deux ou trois chansons ridicules qui font valoir le gosier d'une actrice ; se pâmera de plaisir qui voudra ou qui pourra, en voyant un châtré[1] fredonner le rôle de César et de Caton, et se promener d'un air gauche sur des planches ; pour moi, il y a longtemps que j'ai renoncé à ces pauvretés qui font aujourd'hui la gloire de l'Italie, et que des souverains paient si chèrement. » Candide disputa un peu, mais avec discrétion. Martin fut entièrement de l'avis du sénateur.

On se mit à table ; et, après un excellent dîner, on entra dans la bibliothèque. Candide, en voyant un Homère[2] magnifiquement relié, loua l'illustrissime sur son bon goût. « Voilà, dit-il, un livre qui faisait les délices du grand Pangloss, le meilleur philosophe de l'Allemagne. – Il ne fait pas les miennes, dit froidement Pococuranté ; on me fit accroire[3] autrefois que j'avais du plaisir en le lisant ; mais cette répétition continuelle de combats qui se ressemblent tous, ces dieux qui agissent toujours pour ne rien faire de décisif, cette Hélène qui est le sujet de la guerre, et qui à peine est une actrice de la pièce ; cette Troie qu'on assiège, et qu'on ne prend point : tout cela me causait le plus mortel ennui. J'ai demandé quelquefois à des savants s'ils s'ennuyaient autant que moi à cette lecture : tous les gens sincères m'ont

Vocabulaire et nom propre

1. *Châtré* : castré, à qui on a retiré les organes reproducteurs.

2. *Homère* : poète grec du VIIIe siècle avant J.-C., auteur supposé de *L'Iliade* et de *L'Odyssée*.

3. *Accroire* : croire une chose fausse.

55 avoué que le livre leur tombait des mains, mais qu'il fallait toujours
l'avoir dans sa bibliothèque, comme un monument de l'antiquité,
et comme ces médailles rouillées qui ne peuvent être de commerce.

– Votre excellence ne pense pas ainsi de Virgile[1] ? dit Candide.
– Je conviens, dit Pococuranté, que le second, le quatrième, et le
60 sixième livre de son *Énéide* sont excellents ; mais pour son pieux
Énée, et le fort Cloanthe, et l'ami Achates, et le petit Ascanius, et
l'imbécile roi Latinus, et la bourgeoise Amata, et l'insipide Lavinia, je
ne crois pas qu'il y ait rien de si froid et de plus désagréable. J'aime
mieux le Tasse[2] et les contes à dormir debout de l'Arioste[3].

65 – Oserais-je vous demander, monsieur, dit Candide, si vous
n'avez pas un grand plaisir à lire Horace[4] ? – Il y a des maximes, dit
Pococuranté, dont un homme du monde peut faire son profit, et
qui, étant resserrées dans des vers énergiques, se gravent plus aisé-
ment dans la mémoire ; mais je me soucie fort peu de son voyage à
70 Brindes, et de sa description d'un mauvais dîner, et de la querelle de
crocheteurs entre je ne sais quel Pupilus dont les paroles, dit-il, *étaient
pleines de pus*, et un autre dont les paroles *étaient du vinaigre*. Je n'ai
lu qu'avec un extrême dégoût ses vers grossiers contre des vieilles et
contre des sorcières ; et je ne vois pas quel mérite il peut y avoir à
75 dire à son ami Mecenas que, s'il est mis par lui au rang des poètes
lyriques, il frappera les astres de son front sublime. Les sots admirent
tout dans un auteur estimé. Je ne lis que pour moi ; je n'aime que
ce qui est à mon usage. » Candide, qui avait été élevé à ne jamais
juger de rien par lui-même, était fort étonné de ce qu'il entendait ; et
80 Martin trouvait la façon de penser de Pococuranté assez raisonnable.

Noms propres

1. *Virgile :* poète latin du I[er] siècle avant J.-C., auteur de *L'Énéide* et des *Bucoliques*.

2. *Le Tasse :* poète italien du XVI[e] siècle, connu pour ses œuvres épiques et pleines d'aventures.

3. *L'Arioste :* poète italien de la Renaissance, auteur de *Roland furieux*.

4. *Horace :* poète latin du I[er] siècle avant J.-C.

Candide ou l'Optimisme

« Oh ! voici un Cicéron[1], dit Candide ; pour ce grand homme-là, je pense que vous ne vous lassez point de le lire. – Je ne le lis jamais, répondit le Vénitien. Que m'importe qu'il ait plaidé pour Rabirius ou pour Cluentius ? J'ai bien assez des procès que je juge ; je me serais mieux accommodé de ses œuvres philosophiques ; mais quand j'ai vu qu'il doutait de tout, j'ai conclu que j'en savais autant que lui, et que je n'avais besoin de personne pour être ignorant.

– Ah ! voilà quatre-vingts volumes de recueils d'une académie des sciences, s'écria Martin : il se peut qu'il y ait là du bon. – Il y en aurait, dit Pococuranté, si un seul des auteurs de ces fatras avait inventé seulement l'art de faire des épingles ; mais il n'y a dans tous ces livres que de vains systèmes, et pas une seule chose utile.

– Que de pièces de théâtre je vois là, dit Candide, en italien, en espagnol, en français ! – Oui, dit le sénateur, il y en a trois mille, et pas trois douzaines de bonnes. Pour ces recueils de sermons, qui tous ensemble ne valent pas une page de Sénèque[2], et tous ces gros volumes de théologie, vous pensez bien que je ne les ouvre jamais, ni moi, ni personne. »

Martin aperçut des rayons chargés de livres anglais. « Je crois, dit-il, qu'un républicain doit se plaire à la plupart de ces ouvrages écrits si librement. – Oui, répondit Pococuranté, il est beau d'écrire ce qu'on pense ; c'est le privilège de l'homme. Dans toute notre Italie, on n'écrit que ce qu'on ne pense pas ; ceux qui habitent la patrie des Césars et des Antonins[3] n'osent avoir une idée sans la permission d'un jacobin[4]. Je serais content de la liberté qui inspire les génies anglais si la passion et l'esprit de parti ne corrompaient pas tout ce que cette précieuse liberté a d'estimable. »

Vocabulaire et noms propres

1. *Cicéron :* homme politique, écrivain et orateur du Ier siècle avant J.-C.
2. *Sénèque :* écrivain et philosophe romain du Ier siècle.

3. *La patrie des Césars et des Antonins :* Rome, ville principale de l'Empire romain.
4. *Jacobin :* moine dominicain de l'Inquisition.

Candide apercevant un Milton[1], lui demanda s'il ne regardait
pas cet auteur comme un grand homme. « Qui ? dit Pococuranté,
110 ce barbare, qui fait un long commentaire du premier chapitre de la
Genèse, en dix livres de vers durs ? ce grossier imitateur des Grecs,
qui défigure la création, et qui, tandis que Moïse représente l'Être
éternel[2] produisant le monde par la parole, fait prendre un grand
compas par le Messiah[3] dans une armoire du ciel pour tracer son
115 ouvrage ? Moi, j'estimerais celui qui a gâté l'enfer et le diable du
Tasse ; qui déguise Lucifer tantôt en crapaud, tantôt en pygmée ;
qui lui fait rebattre cent fois les mêmes discours ; qui le fait disputer
sur la théologie ; qui, en imitant sérieusement l'invention comique
des armes à feu de l'Arioste, fait tirer le canon dans le ciel par les
120 diables ? Ni moi ni personne en Italie n'a pu se plaire à toutes ces
tristes extravagances. Le mariage du péché et de la mort[4], et les
couleuvres dont le Péché accouche, font vomir tout homme qui a
le goût un peu délicat ; et sa longue description d'un hôpital n'est
bonne que pour un fossoyeur. Ce poème obscur, bizarre, et dégoû-
125 tant, fut méprisé à sa naissance ; je le traite aujourd'hui comme il
fut traité dans sa patrie par les contemporains. Au reste, je dis ce
que je pense, et je me soucie fort peu que les autres pensent comme
moi. » Candide était affligé de ces discours ; il respectait Homère,
il aimait un peu Milton. « Hélas ! dit-il tout bas à Martin, j'ai bien
130 peur que cet homme-ci n'ait un souverain mépris pour nos poètes
allemands. – Il n'y aurait pas grand mal à cela, dit Martin. – Oh !
quel homme supérieur ! disait encore Candide entre ses dents, quel
grand génie que ce Pococuranté ! rien ne peut lui plaire. »

Après avoir fait ainsi la revue de tous les livres, ils descendirent
135 dans le jardin. Candide en loua toutes les beautés. « Je ne sais rien de

Vocabulaire et noms propres

1. *Milton :* poète anglais du XVII[e] siècle, auteur du *Paradis perdu*.
2. *L'Être éternel :* Dieu.
3. *Messiah :* messie.

4. *Le mariage du péché et de la mort :* allusion au *Paradis perdu* de Milton qui traite de la question.

si mauvais goût, dit le maître ; nous n'avons ici que des colifichets[1],
mais je vais dès demain en faire planter un d'un dessin plus noble. »

Quand les deux curieux eurent pris congé de son excellence : « Or
çà, dit Candide à Martin, vous conviendrez que voilà le plus heureux
140 de tous les hommes, car il est au-dessus de tout ce qu'il possède. – Ne
voyez-vous pas, dit Martin, qu'il est dégoûté de tout ce qu'il possède ?
Platon a dit, il y a longtemps, que les meilleurs estomacs ne sont
pas ceux qui rebutent tous les aliments. – Mais, dit Candide, n'y
a-t-il pas du plaisir à tout critiquer, à sentir des défauts où les autres
145 hommes croient voir des beautés ? – C'est-à-dire, reprit Martin, qu'il
y a du plaisir à n'avoir pas de plaisir ? – Oh bien ! dit Candide, il n'y
a donc d'heureux que moi, quand je reverrai M^lle Cunégonde. – C'est
toujours bien fait d'espérer », dit Martin.

Cependant les jours, les semaines, s'écoulaient ; Cacambo ne
150 revenait point, et Candide était si abîmé dans sa douleur, qu'il ne
fit pas même réflexion que Paquette et frère Giroflée n'étaient pas
venus seulement le remercier.

Chapitre 26
D'un souper que Candide et Martin firent avec six étrangers, et qui ils étaient

Un soir que Candide, suivi de Martin, allait se mettre à table
avec les étrangers qui logeaient dans la même hôtellerie, un homme
à visage couleur de suie l'aborda par derrière, et, le prenant par le
bras, lui dit : « Soyez prêt à partir avec nous, n'y manquez pas. » Il se
5 retourne, et voit Cacambo. Il n'y avait que la vue de Cunégonde qui
pût l'étonner et lui plaire davantage. Il fut sur le point de devenir fou

Vocabulaire
1. *Colifichets* : objets sans valeur, babioles.

de joie. Il embrasse son cher ami. « Cunégonde est ici, sans doute ?
où est-elle ? Mène-moi vers elle, que je meure de joie avec elle.
– Cunégonde n'est point ici, dit Cacambo, elle est à Constantinople**1**.
– Ah ciel ! à Constantinople ! mais fût-elle à la Chine, j'y vole, par-
tons. – Nous partirons après souper, reprit Cacambo ; je ne peux vous
en dire davantage ; je suis esclave, mon maître m'attend ; il faut que
j'aille le servir à table : ne dites mot, soupez, et tenez-vous prêt. »

Candide, partagé entre la joie et la douleur, charmé d'avoir revu
son agent fidèle, étonné de le voir esclave, plein de l'idée de retrouver
sa maîtresse, le cœur agité, l'esprit bouleversé, se mit à table avec
Martin, qui voyait de sang froid toutes ces aventures, et avec six
étrangers, qui étaient venus passer le carnaval à Venise.

Cacambo, qui versait à boire à l'un de ces six étrangers, s'appro-
cha de l'oreille de son maître, sur la fin du repas, et lui dit : « Sire,
votre majesté partira quand elle voudra, le vaisseau est prêt. » Ayant
dit ces mots, il sortit. Les convives étonnés se regardaient sans profé-
rer une seule parole, lorsqu'un autre domestique s'approchant de son
maître, lui dit : « Sire, la chaise de votre majesté est à Padoue, et la
barque est prête. » Le maître fit un signe, et le domestique partit. Tous
les convives se regardèrent encore, et la surprise commune redou-
bla. Un troisième valet s'approchant aussi d'un troisième étranger,
lui dit : « Sire, croyez-moi, votre majesté ne doit pas rester ici plus
longtemps : je vais tout préparer » ; et aussitôt il disparut.

Candide et Martin ne doutèrent pas alors que ce ne fût une
mascarade du carnaval. Un quatrième domestique dit au quatrième
maître : « Votre majesté partira quand elle voudra », et sortit comme
les autres. Le cinquième valet en dit autant au cinquième maître.
Mais le sixième valet parla différemment au sixième étranger qui
était auprès de Candide ; il lui dit : « Ma foi, sire, on ne veut plus
faire crédit à votre majesté ni à moi non plus, et nous pourrions bien

Nom propre
1. *Constantinople :* ancien nom d'Istanbul, la capitale turque.

être coffrés cette nuit vous et moi ; je vais pourvoir à mes affaires : adieu. »

Tous les domestiques ayant disparu, les six étrangers, Candide, et
40 Martin, demeurèrent dans un profond silence. Enfin Candide le rompit : « Messieurs, dit-il, voilà une singulière plaisanterie. Pourquoi êtes-vous tous rois ? Pour moi, je vous avoue que ni moi ni Martin nous ne le sommes. »

Le maître de Cacambo prit alors gravement la parole, et dit en
45 italien : « Je ne suis point plaisant[1], je m'appelle Achmet III ; j'ai été grand sultan plusieurs années ; je détrônai mon frère ; mon neveu m'a détrôné ; on a coupé le cou à mes vizirs[2] ; j'achève ma vie dans le vieux sérail ; mon neveu le grand sultan Mahmoud me permet de voyager quelquefois pour ma santé ; et je suis venu passer le carnaval
50 à Venise. »

Un jeune homme qui était auprès d'Achmet parla après lui, et dit : « Je m'appelle Ivan ; j'ai été empereur de toutes les Russies ; j'ai été détrôné au berceau ; mon père et ma mère ont été enfermés ; on m'a élevé en prison ; j'ai quelquefois la permission de voyager,
55 accompagné de ceux qui me gardent ; et je suis venu passer le carnaval à Venise. »

Le troisième dit : « Je suis Charles-Édouard, roi d'Angleterre ; mon père m'a cédé ses droits au royaume ; j'ai combattu pour les soutenir ; on a arraché le cœur à huit cents de mes partisans, et on leur en a
60 battu les joues ; j'ai été mis en prison ; je vais à Rome faire une visite au roi mon père, détrôné ainsi que moi et mon grand-père ; et je suis venu passer le carnaval à Venise. »

Le quatrième prit alors la parole et dit : « Je suis roi des Polaques[3] ; le sort de la guerre m'a privé de mes États héréditaires ; mon père a
65 éprouvé les mêmes revers ; je me résigne à la Providence comme le

Vocabulaire et nom propre
1. *Plaisant :* disposé à plaisanter. 3. *Polaques :* Polonais.
2. *Vizirs :* ministres en Turquie.

sultan Achmet, l'empereur Ivan, et le roi Charles-Édouard, à qui Dieu donne une longue vie ; et je suis venu passer le carnaval à Venise. »

Le cinquième dit : « Je suis aussi roi des Polaques ; j'ai perdu mon royaume deux fois ; mais la Providence m'a donné un autre État dans
70 lequel j'ai fait plus de bien que tous les rois des Sarmates ensemble n'en ont jamais pu faire sur les bords de la Vistule. Je me résigne aussi à la Providence ; et je suis venu passer le carnaval à Venise. »

Il restait au sixième monarque à parler. « Messieurs, dit-il, je ne suis pas si grand seigneur que vous ; mais enfin j'ai été roi tout
75 comme un autre ; je suis Théodore ; on m'a élu roi en Corse ; on on m'a appelé *Votre Majesté*, et à présent à peine m'appelle-t-on *Monsieur* ; j'ai fait frapper de la monnaie, et je ne possède pas un denier ; j'ai eu deux secrétaires d'État, et j'ai à peine un valet ; je me suis vu sur un trône, et j'ai longtemps été à Londres en prison sur la
80 paille ; j'ai bien peur d'être traité de même ici, quoique je sois venu, comme Vos Majestés, passer le carnaval à Venise.»

Les cinq autres rois écoutèrent ce discours avec une noble compassion. Chacun d'eux donna vingt sequins[1] au roi Théodore pour avoir des habits et des chemises ; Candide lui fit présent d'un dia-
85 mant de deux mille sequins. « Quel est donc, disaient les cinq rois, cet homme qui est en état de donner cent fois autant que chacun de nous, et qui le donne ? Êtes-vous roi aussi, monsieur ? – Non, messieurs, et n'en ai nulle envie. »

Dans l'instant qu'on sortait de table, il arriva dans la même hôtel-
90 lerie quatre altesses sérénissimes qui avaient aussi perdu leurs États par le sort de la guerre, et qui venaient passer le reste du carnaval à Venise ; mais Candide ne prit pas seulement garde à ces nouveaux venus. Il n'était occupé que d'aller trouver sa chère Cunégonde à Constantinople.

Vocabulaire
1. *Sequins :* monnaie vénitienne.

Chapitre 27
Voyage de Candide à Constantinople

Le fidèle Cacambo avait déjà obtenu du patron turc qui allait reconduire le sultan Achmet à Constantinople qu'il recevrait Candide et Martin sur son bord. L'un et l'autre s'y rendirent après s'être prosternés devant sa misérable hautesse. Candide, chemin faisant, disait
5 à Martin : « Voilà pourtant six rois détrônés avec qui nous avons soupé ! et encore dans ces six rois il y en a un à qui j'ai fait l'aumône. Peut-être y a-t-il beaucoup d'autres princes plus infortunés. Pour moi, je n'ai perdu que cent moutons, et je vole dans les bras de Cunégonde. Mon cher Martin, encore une fois, Pangloss avait raison,
10 tout est bien. – Je le souhaite, dit Martin. – Mais, dit Candide, voilà une aventure bien peu vraisemblable que nous avons eue à Venise. On n'avait jamais vu ni ouï conter que six rois détrônés soupassent ensemble au cabaret. – Cela n'est pas plus extraordinaire, dit Martin, que la plupart des choses qui nous sont arrivées. Il est très commun
15 que des rois soient détrônés ; et à l'égard de l'honneur que nous avons eu de souper avec eux, c'est une bagatelle qui ne mérite pas notre attention. Qu'importe avec qui l'on soupe, pourvu qu'on fasse bonne chère ? »

À peine Candide fut-il dans le vaisseau, qu'il sauta au cou de son
20 ancien valet, de son ami Cacambo. « Eh bien ! lui dit-il, que fait Cunégonde ? est-elle toujours un prodige de beauté ? m'aime-t-elle toujours ? comment se porte-t-elle ? Tu lui as, sans doute, acheté un palais à Constantinople ?

– Mon cher maître, répondit Cacambo, Cunégonde lave les
25 écuelles sur le bord de la Propontide[1], chez un prince qui a très peu d'écuelles ; elle est esclave dans la maison d'un ancien souverain,

Nom propre
1. *Propontide :* actuelle mer de Marmara en Turquie.

nommé Ragotski, à qui le Grand-Turc donne trois écus par jour dans son asile ; mais, ce qui est bien plus triste, c'est qu'elle a perdu sa beauté, et qu'elle est devenue horriblement laide. – Ah ! belle ou laide,
30 dit Candide, je suis honnête homme, et mon devoir est de l'aimer toujours. Mais comment peut-elle être réduite à un état si abject avec les cinq ou six millions que tu avais emportés ? – Bon, dit Cacambo, ne m'en a-t-il pas fallu donner deux au señor don Fernando d'Ibaraa, y Figueora, y Mascarenès, y Lampourdos, y Souza, gouverneur de
35 Buenos-Ayres, pour avoir la permission de reprendre M^{lle} Cunégonde ? et un pirate ne nous a-t-il pas bravement dépouillés de tout le reste ? Ce pirate ne nous a-t-il pas menés au cap de Matapan, à Milo, à Nicarie, à Samos, à Petra, aux Dardanelles, à Marmara, à Scutari ? Cunégonde et la vieille servent chez ce prince dont je vous ai parlé,
40 et moi je suis esclave du sultan détrôné. – Que d'épouvantables cala-mités enchaînées les unes aux autres ! dit Candide. Mais, après tout, j'ai encore quelques diamants ; je délivrerai aisément Cunégonde. C'est bien dommage qu'elle soit devenue si laide. »

Ensuite, se tournant vers Martin : « Que pensez-vous, dit-il, qui
45 soit le plus à plaindre, de l'empereur Achmet, de l'empereur Ivan, du roi Charles-Édouard, ou de moi ? – Je n'en sais rien, dit Martin ; il faudrait que je fusse dans vos cœurs pour le savoir. – Ah ! dit Candide, si Pangloss était ici, il le saurait, et nous l'apprendrait. – Je ne sais, dit Martin, avec quelles balances votre Pangloss aurait pu
50 peser les infortunes des hommes, et apprécier leurs douleurs. Tout ce que je présume c'est qu'il y a des millions d'hommes sur la terre cent fois plus à plaindre que le roi Charles-Édouard, l'empereur Ivan, et le sultan Achmet. – Cela pourrait bien être, dit Candide. »

On arriva en peu de jours sur le canal de la mer Noire. Candide
55 commença par racheter Cacambo fort cher ; et, sans perdre de temps, il se jeta dans une galère, avec ses compagnons, pour aller sur le rivage de la Propontide chercher Cunégonde, quelque laide qu'elle pût être.

Candide ou l'Optimisme

Il y avait dans la chiourme[1] deux forçats qui ramaient fort mal,
et à qui le levanti[2] patron appliquait de temps en temps quelques
coups de nerf de bœuf[3] sur leurs épaules nues ; Candide, par un
mouvement naturel, les regarda plus attentivement que les autres
galériens, et s'approcha d'eux avec pitié. Quelques traits de leurs
visages défigurés lui parurent avoir un peu de ressemblance avec
Pangloss et avec ce malheureux jésuite, ce baron, ce frère de
Mlle Cunégonde. Cette idée l'émut et l'attrista. Il les considéra encore
plus attentivement. « En vérité, dit-il à Cacambo, si je n'avais pas
vu pendre maître Pangloss, et si je n'avais pas eu le malheur de tuer
le baron, je croirais que ce sont eux qui rament dans cette galère. »

Au nom du baron et de Pangloss les deux forçats poussèrent un
grand cri, s'arrêtèrent sur leur banc, et laissèrent tomber leurs rames.
Le levanti patron accourait sur eux, et les coups de nerf de bœuf
redoublaient. « Arrêtez ! arrêtez ! seigneur, s'écria Candide ; je vous
donnerai tant d'argent que vous voudrez. – Quoi ! c'est Candide !
disait l'un des forçats ; – Quoi ! c'est Candide ! disait l'autre. – Est-ce
un songe ? dit Candide ; veillé-je ? suis-je dans cette galère ? Est-ce
là monsieur le baron, que j'ai tué ? Est-ce là maître Pangloss, que j'ai
vu pendre ? – C'est nous-mêmes, c'est nous-mêmes, répondaient-ils.
– Quoi ! c'est là ce grand philosophe ? disait Martin. – Eh ! monsieur
le levanti patron, dit Candide, combien voulez-vous d'argent pour
la rançon de M. de Thunder-ten-tronckh, un des premiers barons
de l'empire, et de M. Pangloss, le plus profond métaphysicien d'Al-
lemagne ? – Chien de chrétien, répondit le levanti patron, puisque
ces deux chiens de forçats chrétiens sont des barons et des méta-
physiciens, ce qui est sans doute une grande dignité dans leur pays,
tu m'en donneras cinquante mille sequins. – Vous les aurez, mon-

Vocabulaire
1. *Chiourme* : ensemble des rameurs sur une galère.
2. *Levanti* : soldat sur une galère.
3. *Nerf de bœuf* : bâton servant à porter des coups.

sieur ; remenez-moi comme un éclair à Constantinople, et vous serez payé sur-le-champ. Mais non, menez-moi chez M^lle Cunégonde. » Le levanti patron, sur la première offre de Candide, avait déjà tourné la
90 proue vers la ville, et il faisait ramer plus vite qu'un oiseau ne fend les airs.

Candide embrassa cent fois le baron et Pangloss. « Et comment ne vous ai-je pas tué, mon cher baron ? et mon cher Pangloss, comment êtes-vous en vie, après avoir été pendu ? et pourquoi êtes-vous tous
95 deux aux galères en Turquie ? – Est-il bien vrai que ma chère sœur soit dans ce pays ? disait le baron. – Oui, répondait Cacambo. – Je revois donc mon cher Candide ! s'écriait Pangloss. » Candide leur présentait Martin et Cacambo. Ils s'embrassaient tous ; ils parlaient tous à la fois. La galère volait, ils étaient déjà dans le port. On fit
100 venir un Juif, à qui Candide vendit pour cinquante mille sequins un diamant de la valeur de cent mille, et qui lui jura par Abraham qu'il n'en pouvait donner davantage. Il paya incontinent la rançon du baron et de Pangloss. Celui-ci se jeta aux pieds de son libérateur, et les baigna de larmes ; l'autre le remercia par un signe de tête, et lui
105 promit de lui rendre cet argent à la première occasion. « Mais est-il bien possible que ma sœur soit en Turquie ? disait-il. – Rien n'est si possible, reprit Cacambo, puisqu'elle écure[1] la vaisselle chez un prince de Transylvanie. » On fit aussitôt venir deux Juifs ; Candide vendit encore des diamants ; et ils repartirent tous dans une autre
110 galère pour aller délivrer Cunégonde.

Vocabulaire
1. *Écure :* lave.

Chapitre 28
Ce qui arriva à Candide, à Cunégonde, à Pangloss, à Martin, etc.

« Pardon, encore une fois, dit Candide au baron ; pardon, mon révérend père, de vous avoir donné un grand coup d'épée au travers du corps.

– N'en parlons plus, dit le baron ; je fus un peu trop vif, je l'avoue ;
5 mais puisque vous voulez savoir par quel hasard vous m'avez vu aux galères, je vous dirai qu'après avoir été guéri de ma blessure par le frère apothicaire[1] du collège[2], je fus attaqué et enlevé par un parti[3] espagnol ; on me mit en prison à Buenos-Ayres dans le temps que ma sœur venait d'en partir. Je demandai à retourner à Rome
10 auprès du père général. Je fus nommé pour aller servir d'aumônier à Constantinople auprès de monsieur l'ambassadeur de France. Il n'y avait pas huit jours que j'étais entré en fonction, quand je trouvai sur le soir un jeune icoglan[4] très bien fait. Il faisait fort chaud : le jeune homme voulut se baigner ; je pris cette occasion de me baigner aussi.
15 Je ne savais pas que ce fût un crime capital pour un chrétien d'être trouvé tout nu avec un jeune musulman. Un cadi[5] me fit donner cent coups de bâton sous la plante des pieds, et me condamna aux galères. Je ne crois pas qu'on ait fait une plus horrible injustice. Mais je voudrais bien savoir pourquoi ma sœur est dans la cuisine d'un
20 souverain de Transylvanie réfugié chez les Turcs.

– Mais vous, mon cher Pangloss, dit Candide, comment se peut-il que je vous revoie ?

– Il est vrai, dit Pangloss, que vous m'avez vu pendre ; je devais naturellement être brûlé ; mais vous vous souvenez qu'il plut à verse

Vocabulaire
1. *Apothicaire* : pharmacien.
2. *Collège* : compagnie religieuse.
3. *Parti* : groupe armé.
4. *Icoglan* : jeune noble au service d'un seigneur.
5. *Cadi* : juge musulman.

25 lorsqu'on allait me cuire : l'orage fut si violent qu'on désespéra d'allumer le feu ; je fus pendu, parce qu'on ne put mieux faire : un chirurgien acheta mon corps, m'emporta chez lui, et me disséqua. Il me fit d'abord une incision cruciale[1] depuis le nombril jusqu'à la clavicule. On ne pouvait pas avoir été plus mal pendu que je l'avais été.

30 L'exécuteur des hautes œuvres de la sainte Inquisition, lequel était sous-diacre, brûlait à la vérité les gens à merveille, mais il n'était pas accoutumé à pendre : la corde était mouillée et glissa mal, elle fut mal nouée ; enfin je respirais encore : l'incision cruciale me fit jeter un si grand cri, que mon chirurgien tomba à la renverse ; et croyant qu'il

35 disséquait le diable, il s'enfuit en mourant de peur, et tomba encore sur l'escalier en fuyant. Sa femme accourut au bruit d'un cabinet voisin : elle me vit sur la table étendu avec mon incision cruciale ; elle eut encore plus de peur que son mari, s'enfuit, et tomba sur lui. Quand ils furent un peu revenus à eux, j'entendis la chirurgienne qui disait

40 au chirurgien : "Mon bon, de quoi vous avisez-vous aussi de disséquer un hérétique[2] ? ne savez-vous pas que le diable est toujours dans le corps de ces gens-là ? je vais vite chercher un prêtre pour l'exorciser." Je frémis à ce propos, et je ramassai le peu de forces qui me restaient pour crier : "Ayez pitié de moi !" Enfin le barbier portugais s'enhardit :

45 il recousit ma peau ; sa femme même eut soin de moi ; je fus sur pied au bout de quinze jours. Le barbier me trouva une condition, et me fit laquais d'un chevalier de Malte qui allait à Venise ; mais mon maître n'ayant pas de quoi me payer, je me mis au service d'un marchand vénitien, et je le suivis à Constantinople.

50 « Un jour il me prit fantaisie d'entrer dans une mosquée ; il n'y avait qu'un vieil iman et une jeune dévote très jolie qui disait ses patenôtres[3] ; sa gorge était toute découverte : elle avait entre ses

Vocabulaire

1. *Cruciale :* en forme de croix.
2. *Hérétique :* possédé par le diable, incroyant.
3. *Patenôtres :* prières (le « Notre Père » des chrétiens).

deux tétons un beau bouquet de tulipes, de roses, d'anémones, de renoncules, d'hyacinthes, et d'oreilles d'ours ; elle laissa tomber son
55 bouquet ; je le ramassai, et je le lui remis avec un empressement très respectueux. Je fus si longtemps à le lui remettre, que l'iman se mit en colère, et voyant que j'étais chrétien, il cria à l'aide. On me mena chez le cadi, qui me fit donner cent coups de latte sous la plante des pieds, et m'envoya aux galères. Je fus enchaîné précisément dans la
60 même galère et au même banc que monsieur le baron. Il y avait dans cette galère quatre jeunes gens de Marseille, cinq prêtres napolitains, et deux moines de Corfou, qui nous dirent que de pareilles aventures arrivaient tous les jours. Monsieur le baron prétendait qu'il avait essuyé une plus grande injustice que moi ; je prétendais, moi, qu'il
65 était beaucoup plus permis de remettre un bouquet sur la gorge d'une femme que d'être tout nu avec un icoglan. Nous disputions sans cesse, et nous recevions vingt coups de nerf de bœuf par jour, lorsque l'enchaînement des événements de cet univers vous a conduit dans notre galère, et que vous nous avez rachetés.

70 – Eh bien ! mon cher Pangloss, lui dit Candide, quand vous avez été pendu, disséqué, roué de coups, et que vous avez ramé aux galères, avez-vous toujours pensé que tout allait le mieux du monde ?

 – Je suis toujours de mon premier sentiment, répondit Pangloss ; car enfin je suis philosophe : il ne me convient pas de me dédire[1],
75 Leibnitz ne pouvant pas avoir tort, et l'harmonie préétablie étant d'ailleurs la plus belle chose du monde, aussi bien que le plein et la matière subtile. »

Vocabulaire
1. *Me dédire :* reconnaître une erreur.

Chapitre 29
Comment Candide retrouva Cunégonde et la vieille

Pendant que Candide, le baron, Pangloss, Martin, et Cacambo, contaient leurs aventures, qu'ils raisonnaient sur les événements contingents[1] ou non contingents de cet univers, qu'ils disputaient sur les effets et les causes, sur le mal moral et sur le mal physique, sur
5 la liberté et la nécessité, sur les consolations que l'on peut éprouver lorsqu'on est aux galères en Turquie, ils abordèrent sur le rivage de la Propontide, à la maison du prince de Transylvanie. Les premiers objets qui se présentèrent furent Cunégonde et la vieille, qui étendaient des serviettes sur des ficelles pour les faire sécher.

10 Le baron pâlit à cette vue. Le tendre amant Candide en voyant sa belle Cunégonde rembrunie, les yeux éraillés, la gorge sèche, les joues ridées, les bras rouges et écaillés, recula trois pas, saisi d'horreur, et avança ensuite par bon procédé. Elle embrassa Candide et son frère ; on embrassa la vieille : Candide les racheta toutes deux.

15 Il y avait une petite métairie[2] dans le voisinage ; la vieille proposa à Candide de s'en accommoder, en attendant que toute la troupe eût une meilleure destinée. Cunégonde ne savait pas qu'elle était enlaidie, personne ne l'en avait avertie : elle fit souvenir Candide de ses promesses avec un ton si absolu, que le bon Candide n'osa
20 pas la refuser. Il signifia donc au baron qu'il allait se marier avec sa sœur. « Je ne souffrirai jamais, dit le baron, une telle bassesse de sa part, et une telle insolence de la vôtre ; cette infamie ne me sera jamais reprochée : les enfants de ma sœur ne pourraient entrer dans les chapitres d'Allemagne. Non, jamais ma sœur n'épousera qu'un
25 baron de l'empire. » Cunégonde se jeta à ses pieds, et les baigna de larmes ; il fut inflexible. « Maître fou, lui dit Candide, je t'ai réchappé

Vocabulaire
1. *Contingents ou non contingents :* qui peuvent ou non se produire.

2. *Métairie :* ferme, exploitation agricole.

des galères, j'ai payé ta rançon, j'ai payé celle de ta sœur ; elle lavait ici des écuelles, elle est laide, j'ai la bonté d'en faire ma femme ; et tu prétends encore t'y opposer ! je te retuerais si j'en croyais ma
30 colère. – Tu peux me tuer encore, dit le baron, mais tu n'épouseras pas ma sœur de mon vivant. »

Chapitre 30
Conclusion

Candide, dans le fond de son cœur, n'avait aucune envie d'épouser Cunégonde ; mais l'impertinence extrême du baron le déterminait à conclure le mariage, et Cunégonde le pressait si vivement qu'il ne pouvait s'en dédire. Il consulta Pangloss, Martin, et le fidèle
5 Cacambo. Pangloss fit un beau mémoire par lequel il prouvait que le baron n'avait nul droit sur sa sœur, et qu'elle pouvait, selon toutes les lois de l'empire, épouser Candide de la main gauche[1]. Martin conclut à jeter le baron dans la mer ; Cacambo décida qu'il fallait le rendre au levanti patron, et le remettre aux galères, après quoi on
10 l'enverrait à Rome au père général par le premier vaisseau. L'avis fut trouvé fort bon ; la vieille l'approuva ; on n'en dit rien à sa sœur ; la chose fut exécutée pour quelque argent, et on eut le plaisir d'attraper un jésuite, et de punir l'orgueil d'un baron allemand.

Il était tout naturel d'imaginer qu'après tant de désastres, Candide
15 marié avec sa maîtresse, et vivant avec le philosophe Pangloss, le philosophe Martin, le prudent Cacambo, et la vieille, ayant d'ailleurs rapporté tant de diamants de la patrie des anciens Incas, mènerait la vie du monde la plus agréable ; mais il fut tant friponné[2] par les Juifs, qu'il ne lui resta plus rien que sa petite métairie ; sa femme

Vocabulaire
1. *De la main gauche* : sans engager ses biens et ses titres.
2. *Friponné* : escroqué.

20 devenant tous les jours plus laide devint acariâtre et insupportable ;
la vieille était infirme, et fut encore de plus mauvaise humeur que
Cunégonde. Cacambo, qui travaillait au jardin, et qui allait vendre
des légumes à Constantinople, était excédé de travail, et maudissait
sa destinée. Pangloss était au désespoir de ne pas briller dans quelque
25 université d'Allemagne. Pour Martin, il était fermement persuadé
qu'on est également mal partout ; il prenait les choses en patience.
Candide, Martin, et Pangloss, disputaient quelquefois de métaphy-
sique et de morale.

On voyait souvent passer sous les fenêtres de la métairie des
30 bateaux chargés d'effendis[1], de bachas[2], de cadis, qu'on envoyait
en exil à Lemnos, à Mytilène, à Erzeroum ; on voyait venir d'autres
cadis, d'autres bachas, d'autres effendis, qui prenaient la place des
expulsés, et qui étaient expulsés à leur tour ; on voyait des têtes
proprement empaillées qu'on allait présenter à la Sublime Porte[3].
35 Ces spectacles faisaient redoubler les dissertations ; et quand on ne
disputait[4] pas, l'ennui était si excessif, que la vieille osa un jour leur
dire : « Je voudrais savoir lequel est le pire, ou d'être violée cent fois
par des pirates nègres, d'avoir une fesse coupée, de passer par les
baguettes chez les Bulgares, d'être fouetté et pendu dans un auto-
40 da-fé, d'être disséqué, de ramer en galère, d'éprouver enfin toutes les
misères par lesquelles nous avons tous passé, ou bien de rester ici à
ne rien faire ? – C'est une grande question », dit Candide.

Ce discours fit naître de nouvelles réflexions, et Martin surtout
conclut que l'homme était né pour vivre dans les convulsions de
45 l'inquiétude, ou dans la léthargie[5] de l'ennui. Candide n'en conve-

Vocabulaire et nom propre
1. *Effendis :* seigneurs turcs.
2. *Bachas :* pachas, gouverneurs de provinces turcs.
3. *Sublime Porte :* porte monumen-tale à Constantinople, siège du gou-vernement du sultan.
4. *Disputait :* débattait.
5. *Léthargie :* langueur, torpeur qui conduit au sommeil.

nait pas, mais il n'assurait rien. Pangloss avouait qu'il avait toujours horriblement souffert ; mais ayant soutenu une fois que tout allait à merveille, il le soutenait toujours, et n'en croyait rien.

50 Une chose acheva de confirmer Martin dans ses détestables principes, de faire hésiter plus que jamais Candide et d'embarrasser Pangloss. C'est qu'ils virent un jour aborder dans leur métairie Paquette et le frère Giroflée, qui étaient dans la plus extrême misère ; ils avaient bien vite mangé leurs trois mille piastres, s'étaient quittés, s'étaient raccommodés, s'étaient brouillés, avaient été mis en pri-
55 son ; s'étaient enfuis, et enfin frère Giroflée s'était fait turc. Paquette continuait son métier partout, et n'y gagnait plus rien. « Je l'avais bien prévu, dit Martin à Candide, que vos présents seraient bientôt dissipés et ne les rendraient que plus misérables. Vous avez regorgé de millions de piastres, vous et Cacambo, et vous n'êtes pas plus
60 heureux que frère Giroflée et Paquette. – Ah ! ah ! dit Pangloss à Paquette, le ciel vous ramène donc ici parmi nous. Ma pauvre enfant ! savez-vous bien que vous m'avez coûté le bout du nez, un œil, et une oreille ? Comme vous voilà faite ! eh ! qu'est-ce que ce monde ! » Cette nouvelle aventure les engagea à philosopher plus
65 que jamais.

Il y avait dans le voisinage un derviche[1] très fameux qui passait pour le meilleur philosophe de la Turquie ; ils allèrent le consulter ; Pangloss porta la parole, et lui dit : « Maître, nous venons vous prier de nous dire pourquoi un aussi étrange animal que l'homme a
70 été formé. – De quoi te mêles-tu ? lui dit le derviche ; est-ce là ton affaire ? – Mais, mon révérend père, dit Candide, il y a horriblement de mal sur la terre. – Qu'importe, dit le derviche, qu'il y ait du mal ou du bien ? Quand Sa Hautesse envoie un vaisseau en Égypte, s'embarrasse-t-elle si les souris qui sont dans le vaisseau sont à leur
75 aise ou non ? – Que faut-il donc faire ? dit Pangloss. – Te taire, dit

Vocabulaire
1. *Derviche :* religieux musulman qui incarne la sagesse et l'austérité.

le derviche. – Je me flattais, dit Pangloss, de raisonner un peu avec vous des effets et des causes, du meilleur des mondes possibles, de l'origine du mal, de la nature de l'âme, et de l'harmonie préétablie. » Le derviche, à ces mots, leur ferma la porte au nez.

80 Pendant cette conversation, la nouvelle s'était répandue qu'on venait d'étrangler à Constantinople deux vizirs du banc[1] et le muphti[2], et qu'on avait empalé plusieurs de leurs amis. Cette catastrophe faisait partout un grand bruit pendant quelques heures. Pangloss, Candide, et Martin, en retournant à la petite métairie,
85 rencontrèrent un bon vieillard qui prenait le frais à sa porte sous un berceau d'orangers. Pangloss, qui était aussi curieux que raisonneur, lui demanda comment se nommait le muphti qu'on venait d'étrangler. « Je n'en sais rien, répondit le bonhomme ; et je n'ai jamais su le nom d'aucun muphti ni d'aucun vizir. J'ignore absolument l'aven-
90 ture dont vous me parlez ; je présume qu'en général ceux qui se mêlent des affaires publiques périssent quelquefois misérablement, et qu'ils le méritent ; mais je ne m'informe jamais de ce qu'on fait à Constantinople ; je me contente d'y envoyer vendre les fruits du jardin que je cultive. » Ayant dit ces mots, il fit entrer les étrangers
95 dans sa maison ; ses deux filles et ses deux fils leur présentèrent plusieurs sortes de sorbets qu'ils faisaient eux-mêmes, du kaïmak[3] piqué d'écorces de cédrat[4] confit, des oranges, des citrons, des limons[5], des ananas, des dattes, des pistaches, du café de Moka qui n'était point mêlé avec le mauvais café de Batavia et des îles. Après quoi les deux
100 filles de ce bon musulman parfumèrent les barbes de Candide, de Pangloss, et de Martin.

« Vous devez avoir, dit Candide au Turc, une vaste et magnifique terre ? – Je n'ai que vingt arpents, répondit le Turc ; je les cultive avec

Vocabulaire
1. *Vizirs du banc* : ministres qui participent au conseil des ministres du sultan, appelé le Divan.
2. *Muphti* : chef religieux musulman.

3. *Kaïmak* : spécialité turque.
4. *Cédrat* : gros citron.
5. *Limons* : citrons.

mes enfants ; le travail éloigne de nous trois grands maux, l'ennui, 105 le vice, et le besoin. »

Candide en retournant dans sa métairie fit de profondes réflexions sur le discours du Turc. Il dit à Pangloss et à Martin : « Ce bon vieillard me paraît s'être fait un sort bien préférable à celui des six rois avec qui nous avons eu l'honneur de souper. – Les grandeurs, dit Pangloss, 110 sont fort dangereuses, selon le rapport de tous les philosophes ; car enfin Églon, roi des Moabites, fut assassiné par Aod ; Absalon fut pendu par les cheveux et percé de trois dards ; le roi Nadab, fils de Jéroboam, fut tué par Baasa ; le roi Éla, par Zambri ; Ochosias, par Jéhu ; Athalie, par Joïada ; les rois Joachim, Jéchonias, Sédécias, 115 furent esclaves. Vous savez comment périrent Crésus, Astyage, Darius, Denys de Syracuse, Pyrrhus, Persée, Annibal, Jugurtha, Arioviste, César, Pompée, Néron, Othon, Vitellius, Domitien, Richard II d'Angleterre, Édouard II, Henri VI, Richard III, Marie Stuart, Charles Ier, les trois Henri de France, l'empereur Henri IV ? Vous savez… – Je sais 120 aussi, dit Candide, qu'il faut cultiver notre jardin. – Vous avez raison, dit Pangloss ; car, quand l'homme fut mis dans le jardin d'Éden, il y fut mis *ut operaretur eum*, pour qu'il travaillât ; ce qui prouve que l'homme n'est pas né pour le repos. – Travaillons sans raisonner, dit Martin, c'est le seul moyen de rendre la vie supportable. »

125 Toute la petite société entra dans ce louable dessein ; chacun se mit à exercer ses talents. La petite terre rapporta beaucoup. Cunégonde était, à la vérité, bien laide ; mais elle devint une excellente pâtissière ; Paquette broda ; la vieille eut soin du linge. Il n'y eut pas jusqu'à frère Giroflée qui ne rendît service ; il fut un très 130 bon menuisier, et même devint honnête homme ; et Pangloss disait quelquefois à Candide : « Tous les événements sont enchaînés dans le meilleur des mondes possibles : car enfin si vous n'aviez pas été chassé d'un beau château à grands coups de pied dans le derrière pour l'amour de Mlle Cunégonde, si vous n'aviez pas été mis à l'In- 135 quisition, si vous n'aviez pas couru l'Amérique à pied, si vous n'aviez

pas donné un bon coup d'épée au baron, si vous n'aviez pas perdu tous vos moutons du bon pays d'Eldorado, vous ne mangeriez pas ici des cédrats confits et des pistaches. – Cela est bien dit, répondit Candide, mais il faut cultiver notre jardin. »

Chassé du Paradis

LECTURE

Lecture du texte (chapitre 1)

Un début de conte

1. Relevez, dans le titre du chapitre et dans le premier paragraphe, des indices propres au genre du conte.

2. Comment expliquez-vous la présence du pronom « je » (p. 10, l. 4) ?

3. Quelles sont les relations entre les différents personnages ?

4. Analysez le portrait de Candide (p. 10, l. 1-10 et dans l'ensemble du chapitre). Que semble-t-il annoncer pour la suite du récit ?

5. Quel événement déclenche le départ de Candide ?

Le Paradis sur terre ?

6. Que sait-on sur la description physique du château, des personnages, et sur l'organisation de la vie du seigneur sur ses terres ? Que pouvez-vous en déduire sur la volonté de Voltaire de dresser une caricature ?

7. Pourquoi Pangloss prétend-il que le château du baron est « le plus beau des châteaux » (l. 29) ?

8. Expliquez pourquoi le chapitre 1 peut être vu comme une parodie de l'histoire d'Adam et Ève au jardin d'Éden.

La philosophie de Pangloss

9. Quel est le rôle officiel de Pangloss dans le château du baron ? Montrez qu'il y est aussi un homme influent.

10. Quelle est la philosophie de Pangloss ?

11. Comment Voltaire tente-t-il de ridiculiser Pangloss et sa philosophie ?

Question de synthèse

12. Montrez que le chapitre 1 remplit ses fonctions d'incipit (voir encadré « Méthode », p. 119).

Lecture d'image

13. Étudiez les postures et les expressions du visage des quatre personnages de la gravure.

14. En quoi cette eau-forte est-elle une bonne illustration du premier chapitre de *Candide* ?

Frédéric La Guillermie, *La Séparation*, eau-forte tirée d'une édition illustrée de *Candide*, 1878.

HISTOIRE DES ARTS
Le libertinage dans la peinture du XVIII^e siècle

De nombreux artistes du XVIII^e siècle représentent le désir charnel dans leurs œuvres. Le libertinage de mœurs (qui repose sur la sensualité du commerce amoureux) apparaît dans les peintures des artistes du style « rococo », comme Antoine Watteau (*L'Indiscrétion*), François Boucher (*Diane au bain*, *La Jeune Fille allongée*) ou Jean-Honoré Fragonard (*Les Progrès de l'amour*, *Les Hasards heureux de l'escarpolette*). La femme y tient le rôle central, inspiratrice du plaisir et dont la nudité, sous couvert de scènes mythologiques ou sylvestres, figure parfois au milieu de chérubins aux couleurs pastel.

ÉTUDE DE L'ŒUVRE

Étude de la langue

Grammaire

15. Analysez l'importance des superlatifs (p. 10-12, l. 1-48).

16. Étudiez la nuance qu'apporte le déterminant démonstratif « ce » dans la démonstration de Pangloss (p. 11, l. 26-30).

17. Montrez que l'utilisation des relations logiques (principalement but, cause et conséquence) révèle un dysfonctionnement du raisonnement de Pangloss (p. 11-12, l. 31-48).

Lexique et étymologie

18. Recherchez l'étymologie du mot « candide », qui donne son nom au héros de Voltaire puis donnez les différents sens de ce terme.

NOTIONS LITTÉRAIRES
Le conte philosophique

Au xviiᵉ siècle, les genres littéraires sont encore nettement codifiés et le roman, genre mineur, est associé aux récits héroïques très populaires auprès des femmes. Quand Voltaire écrit *Candide*, il le voit comme un « petit roman » et parle même d'une « coïonnerie ». Il invente pourtant un genre nouveau en unissant les caractéristiques du conte à ses combats philosophiques.

Le conte philosophique est d'abord l'héritier des récits recueillis et donnés à la littérature par Charles Perrault au xviiᵉ siècle : le **merveilleux** y est présent (l'Eldorado) associé à l'**orientalisme** des contes des *Mille et une Nuits*, traduits au début du xviiiᵉ siècle par Antoine Galland. Les personnages sont simplement esquissés, réduits parfois à leur fonction (le baron, le gouverneur) et au **nom symbolique** (Pangloss, Candide, Pococuranté). L'intrigue elle-même suit un schéma simplifié proche de la **quête** du héros de conte.

Mais Voltaire donne à son récit un enjeu philosophique, en associant, dès le titre, son personnage à l'idée abstraite de l'Optimisme. Voltaire, selon le principe que l'Imagination doit rendre aimable la Vérité, invente une fable au service des idées des Lumières, propre à **répandre leurs idées**, par l'intermédiaire des personnages qui deviennent des porte-parole, et à **s'interroger sur le monde**.

19. Relevez dans l'ensemble du chapitre tous les synonymes du mot « candide ». Trouvez, en dehors du texte, des mots de sens contraire.

20. « Métaphysico-théologo-cosmolonigologie » (p. 11, l. 26). Recherchez le sens de chacune des disciplines enseignées par Pangloss. Pourquoi peut-on dire que le mot « cosmolonigologie » est un néologisme satirique ?

21. Recherchez l'origine et la définition du mot « philosophie ».

Stylistique

22. De quelle manière et à quelle fin Voltaire détourne-t-il le vocabulaire philosophique (p. 12, l. 49-59) ?

EXPRESSION

Expression écrite

Commentaire

23. Rédigez une partie de commentaire montrant que Voltaire fait une double critique dans le chapitre 1.

Écrit d'invention

24. Rédigez la lettre que Candide pourrait écrire à M^{lle} Cunégonde après avoir quitté le château du baron de Thunder-ten-tronckh.

Exercice de synthèse

25. Montrez que le « meilleur des mondes » de Pangloss n'est peut-être qu'une acceptation de l'ordre établi.

Méthode ▶ *Comment analyser l'ouverture d'un récit*

Le début d'un récit (qu'on appelle aussi **incipit**), par sa place initiale, est un moment capital dans une œuvre. L'ouverture peut plonger le lecteur immédiatement dans l'action (*in medias res*), présenter les informations progressivement ou informer de manière statique (en multipliant les précisions sur ce qu'il faut connaître). Pour en faire l'analyse, il faut :

→ étudier sa **fonction informative** en repérant tous les éléments qui servent à la présentation des personnages, du cadre spatio-temporel, du genre de l'œuvre, des choix de narration (point de vue, statut du narrateur…) ;

→ étudier sa **fonction dramatique** : l'action est-elle lancée ? Sur quoi repose-t-elle ?

→ étudier sa **fonction séductive** : l'entrée dans le récit suit-elle une stratégie visant à capter l'attention du lecteur (humour, émotion, suspense…) ?

ÉTUDE DE L'ŒUVRE

Un récit romanesque

LECTURE

Lecture du texte (chapitres 2 à 7)

Lecture d'ensemble

1. Faites le résumé des différentes péripéties qui surviennent à partir du départ de Candide du château du baron.

2. Pourquoi Candide est-il maltraité par le régiment bulgare (chapitre 2, p. 15, l. 50-56) ? Expliquez le « grand génie » du roi des Bulgares (l. 58).

3. Quel rebondissement survient au chapitre 4 ? Quel sort ont connu les habitants du château de Thunder-ten-tronckh ?

4. Au chapitre 5, de quoi Jacques et le « matelot furieux » (p. 22, l. 8) sont-ils les symboles ? Comment le matelot agit-il et justifie-t-il ses actes ?

5. Quel portrait (physique et moral) est-il fait de Pangloss (chapitres 3 à 5) ?

6. Quel nouveau personnage apparaît à la fin du chapitre 6 ? En quoi peut-on parler de coup de théâtre au chapitre 7 ?

Lecture linéaire : chapitre 3 (p. 15-18)

7. Montrez que Voltaire utilise différents registres pour dénoncer la guerre (p. 15-16, l. 1-22).

8. Comment la philosophie de Pangloss est-elle mise à l'épreuve (p. 16, l. 4-13) ?

9. Quelles rencontres Candide fait-il en s'enfuyant de la guerre ? Quelle satire est alors faite par Voltaire ?

Lecture linéaire : chapitre 6 (p. 24-26)

10. Pourquoi les « sages du pays » (p. 24, l. 2) décident-ils d'un autodafé ? Quel en est le résultat ?

11. Comment Voltaire se moque-t-il du cérémonial de l'autodafé ?

Question de synthèse

12. Pourquoi peut-on parler de récit romanesque au sujet de *Candide* ? Vous vous appuierez sur les chapitres 2 à 7 pour répondre.

Lecture d'image

13. Décrivez précisément l'image et cherchez-en une légende dans le texte de *Candide*.

14. Comment est représenté Voltaire (expression du visage, posture, etc.) ?

15. Quel rôle de l'écrivain est suggéré par cette illustration ?

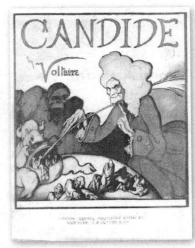

Couverture d'une édition américaine de *Candide* (George Routledge & Sons, 1922), illustrée par Alan Odle (1888-1948).

Étude de la langue

Grammaire

16. Relevez les propositions subordonnées dans les paroles de Pangloss (chapitre 4, p. 20, l. 49-64). Montrez ainsi qu'il s'agit d'un discours clairement organisé.

Lexique et étymologie

17. Recherchez l'origine du mot « héros » (chapitre 2, p. 14, l. 30). Quelle critique est sous-entendue dans l'utilisation qu'en fait Voltaire ?

18. Expliquez l'expression « théâtre de la guerre » (chapitre 3, p. 16, l. 26).

19. Recherchez l'étymologie du mot « Inquisition » (p. 24, l. 68) et montrez qu'il est particulièrement inapproprié au sort de Candide et de Pangloss.

Stylistique

20. Expliquez le rapprochement entre les deux mots de l'expression « boucherie héroïque » (chapitre 3, p. 16, l. 10). Comment s'appelle cette figure de style ?

21. De quelle façon est montrée la détresse de Candide à la fin du chapitre 6 (p. 25-26, l. 25-32) ?

EXPRESSION

Expression écrite

Commentaire

22. Rédigez une partie de commentaire du chapitre 6 pour démontrer que le texte repose sur des procédés comiques.

Écrit d'invention

23. Écrivez un dialogue entre Candide et Pangloss au moment de leurs retrouvailles, dans lequel le jeune homme s'attachera à dénoncer la guerre en contestant la théorie optimiste de son maître.

24. À la fin du chapitre 7, Cunégonde demande à Candide de lui relater tout ce qui lui est arrivé depuis son départ du château. Écrivez, « de la manière la plus naïve » (p. 28, l. 52), le récit de Candide, en tenant compte des réactions de Cunégonde.

Exercice de synthèse

25. Montrez l'absurdité de la philosophie de Pangloss (chapitre 4).

PATRIMOINE

26. La définition de l'homme : « un être à deux pieds sans plumes » (p. 17, l. 54) fait allusion à une anecdote entre Platon et Diogène. Racontez-la.

27. Qui est l'auteur de la phrase : « L'homme est un loup pour l'homme. », reprise dans le discours de Jacques (p. 21, l. 80-82) ? Quel philosophe anglais du XVIIe siècle en a fait une théorie ?

NOTIONS LITTÉRAIRES
Parodie et réécriture

L'imitation est un principe de la création littéraire et tout texte est la réécriture plus ou moins consciente d'un autre. Voltaire, dans *Candide*, exploite volontairement le **détournement** de plusieurs genres narratifs (le conte, le roman picaresque, le récit de voyage, le roman d'apprentissage, le roman héroïque et sentimental...) à des fins comiques ou satiriques.

La parodie (du grec *para*, « à côté », « contre », et *ôdé*, « le chant ») se définit comme l'imitation, en la tournant en dérision, d'une œuvre originale sérieuse. Pour provoquer le rire, elle nécessite de la part du lecteur une reconnaissance du texte parodié pour mesurer l'écart entre le modèle et son détournement.

Le chapitre 1 réécrit la Genèse (la chute d'Adam), le chapitre 3 caricature l'épopée et propose une transposition de la parabole du Bon Samaritain, la tempête du chapitre 4 est une réécriture des tempêtes homériques, le chapitre 13 imite une scène de *Manon Lescaut* de l'abbé Prévost.

Par l'accumulation des parodies, Voltaire discrédite la fiction pour proposer à ses lecteurs une **lecture philosophique** de son œuvre.

Méthode **Comment analyser la satire et l'ironie**

→ La **satire** est une attaque moqueuse destinée à critiquer dont Voltaire se sert pour dénoncer les atrocités du monde. Voltaire n'intervient pas directement dans son texte mais laisse son lecteur se révolter lui-même. Pour l'aider, il emploie des procédés satiriques : la **simplification** par la **caricature**, l'**exagération**, la **parodie**, la **dévalorisation**, l'**humour**.

→ L'**ironie**, qui consiste à faire entendre le contraire de ce qu'on énonce, est aussi un procédé du registre satirique. Elle est un trait caractéristique du style de Voltaire qui en fait une arme de dérision. En adoptant le regard naïf de son personnage principal, Voltaire crée une distance ironique. Pour cela, il use de l'**antiphrase** (l'évocation laudative de la guerre, le « bel » autodafé), du **faux éloge** (le baron et la baronne), du **contraste** (le « tout est bien » suivi d'une tempête, l'autodafé précédant un nouveau séisme), de l'**euphémisme**, de la **périphrase** (les geôles du chapitre 6), du **raccourci** (la petite vérole, cause de la découverte du chocolat), de l'**onomastique** (les noms révélateurs des personnages).

À l'épreuve du Mal

LECTURE

Lecture du texte (chapitres 8 à 16)

Face aux malheurs

1. Comment se poursuit la dénonciation de la guerre dans le début du chapitre 8 (p. 28, l. 1-10) ?

2. Que dire de l'utilité de l'« Histoire de Cunégonde » (chapitre 8) ?

3. Quelles péripéties renforcent le romanesque du récit dans le chapitre 9 ? En quoi le caractère de Candide en est-il modifié ?

4. Dans le chapitre 10, qu'est devenu le « Tout est bien. » de Pangloss ? Quels sont les espoirs de Candide et de Cunégonde ?

5. Résumez les malheurs de la vieille (chapitres 11 et 12). Pour quelles raisons les raconte-t-elle ?

6. Analysez les arguments que la vieille donne à Cunégonde au sujet du projet de mariage avec le gouverneur (p. 45, l. 38-46).

7. Quel événement provoque la fuite de Candide ? Comment Voltaire l'a-t-il préparé ?

8. Faites le portrait de Cacambo (chapitre 14). Justifiez en quoi il apparaît comme un adjuvant auprès de Candide.

9. À la fin du chapitre 14, quel nouveau coup de théâtre vient renforcer le romanesque du récit ?

10. Pourquoi n'est-il pas surprenant que Candide et le frère de Cunégonde se querellent au chapitre 15 ? Comment Candide juge-t-il sa violente réaction (p. 51, l. 45-48) ?

11. Au chapitre 16, montrez le comique de la détresse de Candide (p. 52, l. 9-14).

12. Expliquez et comparez les deux stratégies argumentatives de Candide et de Cacambo pour convaincre les Oreillons (p. 54-55, l. 71-94).

Questions de synthèse

13. Pour l'ensemble des chapitres 8 à 16, énumérez les différentes cibles de Voltaire. Comment parvient-il à son but satirique ?

14. Montrez que l'omniprésence du Mal provoque une transformation de Candide.

Lecture d'image

15. Dans quelle posture est représenté Voltaire ?

16. Que dire de l'accessoire qu'il tient à la main ?

17. À quel statut de l'écrivain Voltaire cette image renvoie-t-elle.

Étude de la langue

Grammaire

18. Identifiez et expliquez la valeur du présent au chapitre 9 (p. 31-32, l. 4-10). Trouvez dans la suite du chapitre un autre exemple de cet emploi du présent.

Raymond Savignac, *Voltaire*, affiche pour l'exposition de la Bibliothèque nationale, 1979.

Lexique

19. Dans l'« Histoire de la vieille » (chapitres 11 et 12), relevez les mots du champ lexical du malheur.

20. Recherchez les différents sens de « nature » et de « naturel ».

Stylistique

21. Par quels procédés Voltaire fait-il la critique des jésuites (p. 47-48, l. 21-61) ?

22. Analysez la manière de raisonner de Cacambo (p. 54-55, l. 75-94).

CONTEXTUALISATION
L'engagement au XVIII^e siècle

Le siècle des Lumières est un siècle d'engagements. Dans toute l'Europe, les philosophes ont le désir de changer la société, en ouvrant les esprits au **Progrès**. Voltaire prend part à de nombreux combats pour la **liberté de pensée ou de culte** : ainsi, il s'engage dans les affaires Calas et Sirven pour dénoncer les persécutions contre les protestants, et dans celle du Chevalier de La Barre, convaincu d'impiété. Les philosophes luttent ainsi contre le fanatisme religieux et l'intolérance : c'est le cas de Diderot qui y consacre plusieurs articles de son *Encyclopédie*.

L'**organisation politique** et législative est également un sujet de réflexion : l'absolutisme royal est contesté et les philosophes aspirent, sinon à un régime démocratique (Rousseau), du moins à un despotisme éclairé (Diderot) ou à une monarchie parlementaire (Montesquieu).

Le XVIII^e siècle est aussi marqué par la **prise de conscience de l'injustice de l'esclavage** (Montesquieu, Voltaire, Rousseau), par l'**abolition de la torture** et par une volonté d'**émancipation des femmes** (Olympe de Gouges, Condorcet).

PATRIMOINE

23. Recherchez ce que signifie, au XVIII^e siècle, le mythe du « bon sauvage ».

24. Qui sont Montaigne, Diderot et Rousseau ? Quelle est leur conception du mythe du « bon sauvage » ?

EXPRESSION

Expression écrite

Commentaire

25. Établissez le plan détaillé de l'explication du texte extrait du chapitre 16, pages 54 à 56, lignes 51 à 109.

26. Rédigez l'introduction et la conclusion du commentaire des lignes 51 à 109, pages 54 à 56.

Écrit d'invention

27. À la fin de son récit (p. 43, l. 103-108), la vieille propose à Cunégonde d'engager chaque passager à conter son histoire. Racontez, en multipliant les registres et dans l'esprit de *Candide*, les malheurs d'un des voyageurs.

Exercice de synthèse

28. Montrez que la fuite est un des principes narratifs de *Candide* (chapitres 1 à 16).

Expression orale

29. Entraînez-vous à présenter oralement l'introduction et la conclusion rédigées dans la question 26.

Méthode ▶ *Comment distinguer les registres littéraires*

On parle de registre littéraire pour indiquer la tonalité d'un texte, l'intention affective à susciter chez le lecteur. Le langage permet en effet d'exprimer des émotions comme la pitié, le rire, la peur, l'admiration…
Voltaire, dans *Candide*, emploie différents registres.

➜ Le registre **pathétique**, qui inspire la pitié : la description des ravages de la guerre ou des souffrances de la vieille a pour but d'émouvoir, par le vocabulaire de la souffrance, les types de phrases, les apostrophes…

➜ Le registre **comique**, qui provoque le rire : les jeux de mots, l'ironie, les exagérations, les situations en sont les outils.

➜ Le registre **lyrique**, qui fait ressentir les sentiments : les scènes de retrouvailles ou les déplorations au sujet des morts permettent l'expression d'émotions (première personne, champ lexical des sentiments, ponctuation expressive forte, figures de style, rythme…).

➜ Le registre **épique**, qui exalte les sentiments héroïques : les scènes de combat, les dépassements du héros sont exprimés par les procédés de l'emphase, la longueur des phrases, le lexique guerrier…

➜ Le registre **épidictique**, qui exprime la louange ou le blâme : valorisation ou dépréciation de personnages (utilisation de modalisateurs, du vocabulaire appréciatif, de l'hyperbole…).

On peut rencontrer également les registres suivants : tragique, fantastique, réaliste, didactique, polémique…

ÉTUDE DE L'ŒUVRE

Utopie et réalité

LECTURE

Lecture du texte (chapitres 17 à 19)

Chapitre 17 (p. 56-59)

1. Montrez que Candide et Cacambo sont réduits à une vie aventureuse (p. 56-57, l. 12-36).

2. Expliquez ce qui rend difficile l'accès à l'Eldorado (p. 57, l. 27-36).

3. Pourquoi Cacambo et Candide passent-ils pour des étrangers ? Relevez les différences entre leur monde et l'Eldorado.

4. « C'est probablement le pays où tout va bien. » (p. 59, l. 106) : justifiez cette affirmation de Candide.

Chapitre 18 (p. 60-65)

5. Comment la description de la « maison fort simple » du vieillard révèle-t-elle une inversion des codes dans l'Eldorado (p. 60, l. 6-14) ?

6. Résumez l'histoire de l'Eldorado. Quelle est la leçon du bonheur de ce pays ?

7. Montrez que la question religieuse en Eldorado permet à Voltaire de faire l'éloge du déisme et la critique de la religion catholique (p. 61-62, l. 36-58).

8. Relevez les éléments du merveilleux dans le chapitre.

9. Pourquoi Candide et Cacambo décident-ils de partir ? En quoi l'histoire se répète-t-elle pour Candide, après son départ du château de Thunder-ten-tronckh ?

10. Analysez le rôle de l'argent en Eldorado.

Chapitre 19 (p. 65-71)

11. De quelles manières est montré le retour à la réalité après le départ d'Eldorado (p. 65-67, l. 1-48) ? Mesurez alors l'optimisme de Candide.

12. Qu'apprend-on au sujet du statut des esclaves au XVIIIe siècle dans l'épisode du nègre de Surinam ?

13. Par quels moyens Voltaire dénonce-t-il l'esclavage ?

14. Pourquoi la rencontre avec le nègre de Surinam est-elle un tournant dans le récit ?

15. Comment Candide choisit-il son nouveau compagnon de voyage ?

16. Faites la liste des différentes cibles de la critique voltairienne dans le chapitre 19.

Questions de synthèse

17. En quoi l'utopie peut-elle servir à la critique ?

18. Qu'est-ce qui fait de l'Eldorado un paradis pour les philosophes des Lumières ?

Lecture d'image

19. Identifiez les trois personnages de cette image.

20. Décrivez l'attitude des personnages représentés.

21. Ce dessin est-il une bonne illustration de l'épisode du nègre de Surinam ?

Paul Klee, *Images à Candide*, 20ᵉ image,
« Ils rencontrèrent un nègre. », édition Kurt Wolff, 1920.

ÉTUDE DE L'ŒUVRE

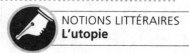

NOTIONS LITTÉRAIRES
L'utopie

Étymologiquement, l'utopie est un lieu de nulle part, un « non-lieu ». Très employée dans la littérature, elle est un moyen de **critiquer le réel** par la démonstration qu'il existe, ailleurs, une société idéale.

Thomas More, Rabelais, Fénelon se sont servis de l'utopie avant Voltaire qui, avec l'Eldorado, crée un lieu clos et inaccessible pour exposer ses idées de tolérance, d'égalité et de progrès.

L'utopie est un monde à l'envers dans lequel règne une **harmonie sociale, politique et économique**. Dans l'Eldorado, l'or et les pierres ont perdu leur puissance destructrice, on aime un Dieu sans dogmes et sans prêtres, on embrasse le roi sur les deux joues, on vénère les sciences et il n'y a ni palais de justice ni prison tant la vertu est maîtresse. Assurément, ce pays où tout va bien n'est que le reflet rêvé d'un monde réel insatisfaisant.

Le XVIIIᵉ siècle montre aussi, d'un point de vue architectural ou social, des rêves d'utopies : Antoine Vaudoyer propose une habitation sphérique, la *Maison pour un cosmopolite*, et Charles Fourier conçoit le projet d'une ville idéale à travers les phalanstères.

Étude de la langue

Grammaire

22. Étudiez les types de phrases dans le premier paragraphe du chapitre 17 (p. 56). Montrez que Cacambo, au contraire de Candide, maîtrise la situation.

23. Analysez les enchaînements de phrases et de propositions dans le même paragraphe. Montrez qu'ils soulignent deux raisonnements.

Lexique

24. Recherchez le sens et l'étymologie du mot « utopie ».

25. Quelle est l'origine du mot « esclave » ?

26. Pourquoi Voltaire choisit-il de nommer le maître du nègre de Surinam « Vanderdendur » ?

27. « Qu'est-ce qu'optimisme ? » (p. 67, l. 45) : comparez la définition de Candide avec celle du dictionnaire.

EXPRESSION

Expression écrite

Dissertation

28. Germaine de Staël (1766-1817) entrevoit une nouvelle conception de la littérature au XVIIIᵉ siècle : « Ce n'est plus un art seulement, c'est un moyen : elle devient une arme pour l'esprit humain, qu'elle s'était contentée jusqu'alors d'instruire et d'amuser » (*De la littérature*, XX, 1800). En quoi cette analyse peut-elle s'appliquer à votre lecture de *Candide* ? Développez votre argumentation en vous appuyant également sur d'autres œuvres que vous connaissez.

Écrit d'invention

29. « La conversation fut longue. » (p. 61, l. 31) Imaginez le dialogue entre le vieillard de l'Eldorado, Candide et Cacambo au sujet des formes de gouvernements, des mœurs, des femmes et des arts de l'Eldorado. Vous montrerez que la comparaison est toujours favorable à l'ancienne patrie des Incas.

30. Écrivez le monologue délibératif de Candide qui, après un mois passé en Eldorado, s'interroge pour savoir s'il doit partir ou rester.

Méthode ▶ *Comment écrire un monologue délibératif*

La délibération, qui consiste à **exposer le pour et le contre avant de prendre position**, peut aussi bien apparaître dans un essai, dans un dialogue ou dans un monologue. L'écrit d'invention peut reposer sur le **débat intérieur d'un personnage face à un dilemme** et qui doit se décider à agir : le théâtre tragique, mais aussi le roman, intègrent, avec plus ou moins de vraisemblance, ce moyen d'argumenter pour soi.

Écrire un monologue délibératif nécessite de **rechercher des arguments défendant des thèses opposées**. Comme il s'agit d'une argumentation directe, la formulation des idées doit être claire. Pour bien faire, il faut :

→ prendre en compte la situation d'énonciation ;

→ ne pas oublier ce qu'on sait du personnage ;

→ penser aux caractéristiques du point de vue interne s'il s'agit d'un monologue inclus dans un récit ;

→ utiliser les interjections, les phrases interrogatives, exclamatives, le vocabulaire du doute, de l'hésitation, les outils de l'opposition et de la concession.

ÉTUDE DE L'ŒUVRE

L'expérience européenne

LECTURE

Lecture du texte (chapitres 20 à 26)

En route pour l'Europe

1. Pourquoi peut-on dire que la philosophie de Martin s'oppose à celle de Pangloss (chapitre 20, p. 71-72, l.14-38) ? Justifiez.

2. Montrez que Candide est plus modéré que Pangloss et Martin (chapitre 20).

3. Comparez le chapitre 20 avec le chapitre 5 et relevez les ressemblances et les différences. À quoi sert finalement la seconde expérience maritime ?

4. Quelle image Martin donne-t-il de la France au début du chapitre 21 ? En quoi cette vision correspond-elle à sa philosophie ?

5. Montrez que Martin, dans les réponses qu'il fait à Candide, est un être blasé (p. 74-75, l. 26-36). Quelle est son idée sur la nature de l'homme, à la fin du chapitre ?

6. Faites la liste des cibles de la critique de Voltaire dès l'arrivée de Candide en France (chapitre 22, p. 75-77, l. 1-38).

La question du bonheur

7. Le chapitre 22 est l'occasion pour Candide de mettre en démonstration sa naïveté. Trouvez quelques exemples de sa candeur.

8. Résumez le chapitre 23. Pourquoi Candide ne veut-il pas poser le pied sur le sol anglais ?

9. Que dire de l'optimisme de Candide au chapitre 23 ? Et au début du chapitre 24 ?

10. Quel rebondissement intervient au chapitre 24 (p. 89, l. 41-50) ?

11. Dressez la liste des malheurs de Paquette (p. 89-90, l. 50-83).

12. Pourquoi Paquette a-t-elle semblé heureuse aux yeux de Candide ? Le théatin est-il heureux (chapitre 24, p. 91, l. 87-113) ?

13. Pococuranté a-t-il tout pour être heureux ? L'est-il ? Faites la liste des richesses dont Pococuranté ne profite pas (chapitre 25).

14. Quelle bonne nouvelle Candide apprend-il au début du chapitre 26 ?

15. Quelle dernière expérience Candide fait-il à Venise, lors du souper (p. 100-101, l. 44-88) ? En quoi le sort des souverains contredit-il à nouveau la philosophie de Pangloss ?

Question de synthèse

16. Qu'apporte à Candide l'expérience de l'Europe ? Vous analyserez la présence du Mal, la quête du bonheur des personnages et ce qu'il reste de la philosophie optimiste de Pangloss.

Lecture d'image

Canaletto (1697-1768), *Vue de la place Saint-Marc à Venise.*

17. À l'aide d'un plan de la place Saint-Marc à Venise, décrivez précisément ce tableau de Canaletto.

18. Quelle impression est donnée par cette vue de Venise ?

19. Trouvez dans le chapitre 24 de *Candide* un extrait du texte qui puisse servir de légende à cette image.

ÉTUDE DE L'ŒUVRE

CONTEXTUALISATION
Le voyage au XVIIIᵉ siècle

Le siècle des Lumières est marqué par des voyages de **grandes découvertes** : Bougainville, Cook, La Pérouse parcourent les mers stimulés par la curiosité scientifique. Il s'agit de dresser des cartes, de répertorier les espèces animales et végétales, dans un projet encyclopédique. Bien sûr, les gouvernements encouragent les voyages pour étendre leur domination et assouvir leurs ambitions économiques, mais le commerce s'allie au progrès et à la science.

De ces périples, les voyageurs naturalistes rapportent des récits. En 1771, Bougainville fait paraître son *Voyage autour du monde*. C'est un succès. L'**esprit cosmopolite** qui règne à l'époque des Lumières se nourrit de ces relations de voyages qui élargissent la conception du monde.

La **littérature de voyage** naît à cette époque et on compte plus de trois mille titres parmi lesquels l'*Histoire générale des voyages* de l'abbé Prévost qui recherchait autant le divertissement que l'apport de connaissances nouvelles. Les relations scientifiques des géographes, les voyages imaginaires et les utopies fleurissent alors dans la littérature du XVIIIᵉ siècle.

Étude de la langue

Grammaire

20. Au chapitre 21, p. 74, l. 25-26, remplacez les signes de ponctuation de façon à faire ressortir les liens logiques qui unissent les propositions.

21. Recherchez, dans le chapitre 25, des exemples d'expressions de la concession et de l'opposition. Quel effet font-ils dans le discours de Pococuranté ?

Lexique

22. Trouvez l'étymologie des mots « tragédie » et « comédie » (chapitre 22). Étudiez leur polysémie.

23. Quelle est l'origine du mot « mélancolie » (p. 88, l. 14) ? Trouvez-en des synonymes. En quoi l'expression « mélancolie noire » est-elle un pléonasme ?

24. Expliquez l'origine et le sens du mot « carnaval » (p. 88, l. 15).

Stylistique

25. Relevez une énumération dans le chapitre 21. Quel effet produit-elle ?

EXPRESSION

Expression écrite

Commentaire

26. Préparez le commentaire linéaire du chapitre 23. Cherchez la progression du texte et notez, phrase après phrase, des éléments d'analyse stylistique et littéraire (remarques sur le style, sur l'expression des idées…).

Écrit d'invention

27. Transposez le chapitre 26 en apologue, en vers ou en prose. Vous utiliserez, à la manière de La Fontaine, des animaux, et veillerez à respecter les éléments du récit et à présenter une morale.

Expression orale

28. Pococuranté affirme : « Je ne lis que pour moi ; je n'aime que ce qui est à mon usage » (p. 95, l. 77-78). Que veut-il dire ? Pensez-vous qu'il a raison ? Échangez votre avis avec vos camarades.

Méthode | *Comment rédiger un texte à visée argumentative*

L'écrit d'invention repose souvent sur l'argumentation directe (un échange d'arguments dans un dialogue, dans une lettre) ou indirecte (l'enseignement didactique ou moral est à interpréter dans une histoire qui se veut divertissante : apologue, conte, utopie…).

→ Pour l'**argumentation directe** : il faut adopter une stratégie argumentative (mettre au clair la thèse, les arguments et les exemples) en n'oubliant pas la situation d'énonciation, le statut des interlocuteurs et les caractéristiques formelles du dialogue ou de la lettre.

→ Pour l'**argumentation indirecte**, la démarche est plus subtile, puisqu'il faut déduire de personnages et de situations le message argumentatif. Elle nécessite une maîtrise de l'implicite et les qualités littéraires d'un bon lecteur. Il peut s'agir d'écrire la suite d'un conte philosophique ou de créer une fable : la compréhension des codes de ces genres est alors essentielle.

ÉTUDE DE L'ŒUVRE

Le bonheur est à réinventer

LECTURE

Lecture du texte (chapitres 27 à 30)

Chapitre 27 (p. 102-105)

1. Qu'espère Candide au sujet de Cunégonde ? Que lui apprend Cacambo à son sujet ?

2. Quels personnages Candide retrouve-t-il sur la galère ?

3. Expliquez pourquoi Pangloss et le baron ont une attitude différente face à Candide, au moment de le remercier (p. 105, l. 103-105).

Chapitre 28 (p. 106-108)

4. Comment le baron et Pangloss justifient-ils leur condamnation aux galères ? Quelle en est la véritable raison ?

5. En quoi l'orage et la corde mouillée justifient-ils la philosophie de Pangloss ?

6. Pangloss devrait-il toujours croire en sa philosophie ? Pourquoi ne change-t-il pas d'avis (p. 108, l. 73-77) ?

Chapitre 29 (p. 109-110)

7. Expliquez les réactions du baron et de Candide (p. 109, l. 10-13).

8. Quelle situation du conte se répète (p. 109-110, l. 20-31) ?

Chapitre 30 (p. 110-115)

9. Quelles raisons Candide a-t-il de vouloir épouser Cunégonde (p. 110, l. 1-4) ?

10. Pourquoi peut-on dire que les solutions apportées par Pangloss, Martin et Cacambo reflètent les personnalités des personnages (p. 110, l. 5-11) ?

11. Qu'apprend-on de surprenant au sujet de Pangloss (p. 112, l. 46-48) ?

ÉTUDE DE L'ŒUVRE

12. Que font les personnages pour chasser leur ennui (p. 111-112, l. 43-65) ?

13. Expliquez l'image employée par le derviche (p. 112, l. 73-75).

14. Quelles sont les leçons apportées par les rencontres du derviche et du vieillard (p. 112-114, l. 66-105) ?

15. Établissez un parallèle entre la vie du vieillard et la vie en Eldorado.

16. Pangloss a-t-il retenu le conseil du derviche (p. 112, l. 75) ? Prouvez-le.

17. En quoi les dernières paroles de Pangloss sont-elles ridicules ?

18. Comment comprenez-vous la dernière phrase du récit ?

Questions de synthèse

19. Dans le chapitre 27, Martin et Candide évoquent l'invraisemblance de leurs aventures. Dressez une liste des invraisemblances du récit qui soulignent le romanesque de *Candide*.

20. Montrez que la fin de *Candide* repose sur le refus du débat philosophique au profit de l'action.

HISTOIRE DES ARTS
Le jardin dans la peinture du xviiie **siècle**

Le jardin, symbole d'un **paradis de délices** et d'un **monde préservé**, est un art en lui-même : du jardin des Perses au jardin anglais, du verger clos médiéval au jardin à la française, il a aussi inspiré les peintres.

Au xviiie siècle, la peinture fait du jardin un décor privilégié de l'amour et de la galanterie : *Le Jardin Opéra, Séduction et jardin d'amour* ou *Conversation galante dans un parc* de **Fragonard**, comme *Les Fêtes galantes, Les Inspirations* ou *Les Deux Cousines* de **Watteau** en sont des exemples frappants.

Oudry, un grand paysagiste, a notamment laissé *Les Jardins d'Arcueil* et **Boucher** a inscrit ses personnages dans un *Jardin chinois*, très en vogue à l'époque des chinoiseries.

ÉTUDE DE L'ŒUVRE

CONTEXTUALISATION
La quête du bonheur au siècle des Lumières

La question du bonheur hante la littérature du xviii^e siècle. Elle balance entre la vie sans passion des stoïciens et la recherche des plaisirs épicuriens. Dans *Candide*, les personnages sont en quête du bonheur dans un monde où le mal règne. Comment dès lors apprendre à être heureux ? Voltaire donne des éléments de réponse en confrontant son héros au malheur et en le faisant renoncer à ses illusions, entretenues par Pangloss.

D'autres écrivains se sont intéressés à la question du bonheur : Émilie du Châtelet a écrit un *Discours sur le bonheur* dans lequel elle plaide en épicurienne pour la recherche des « sensations et des sentiments agréables », Rousseau évoque la quiétude de son âme sur l'île de Saint-Pierre dans *Les Rêveries du promeneur solitaire* et Voltaire, dans *Le Mondain*, conclut son poème par des mots que Candide pourrait prononcer : « Le paradis terrestre est où je suis. »

Lecture d'image (couverture et rabats de l'ouvrage)

21. Observez l'œuvre de couverture et l'œuvre du rabat. De quelle manière Voltaire est-il glorifié ?

22. Décrivez l'œuvre du rabat et expliquez pourquoi elle est, au xix^e siècle, un résumé et un symbole du rayonnement des Lumières.

Étude de la langue

Stylistique

23. « Sa misérable hautesse » (p. 102, l. 4) : expliquez de quelle figure de style il s'agit et quel est l'effet produit par son utilisation.

24. Relevez, dans le chapitre 27, p. 105, l. 87-99, une comparaison et une métaphore. Expliquez-les.

Lexique

25. Recherchez l'origine et les différents sens du mot « ennui » (p. 111, l. 36).

26. Quelle est la formation du mot « inquiétude » (p. 111, l. 45) ? Étudiez sa polysémie.

ÉTUDE DE L'ŒUVRE

EXPRESSION

Expression écrite

Dissertation

27. Victor Hugo, dans un discours à l'occasion du centenaire de la mort de Voltaire, écrit : « Voltaire, seul, […] déclara la guerre à cette coalition de toutes les iniquités sociales, à ce monde énorme et terrible, et il accepta la bataille. Et quelle était son arme ? celle qui a la légèreté du vent et la puissance de la foudre. Une plume. » (*Actes et paroles*, 30 mai 1878) Pensez-vous que la plume d'un écrivain soit une arme efficace ? Vous répondrez à cette question de façon organisée, en vous appuyant sur votre lecture de *Candide* et sur d'autres œuvres étudiées ou lues.

Commentaire

28. Faites le commentaire des lignes 106 à 139 du chapitre 30 de *Candide*.

Expression orale

29. Préparez la présentation orale du texte étudié en commentaire (contexte, auteur, œuvre ; genre et structure du texte ; annonce de la problématique, du plan et du type de commentaire).

> **Méthode** ▶ *Comment réussir la question sur le corpus*

La question sur le corpus fait partie de l'épreuve de français au baccalauréat. Il s'agit de formuler une réponse synthétique à une question posée qui peut concerner l'étude des genres, des registres, des pronoms utilisés, d'une thématique, de rapprochements ou de différences entre les textes.
Il faut :
→ **lire avec attention les textes**, au regard de la question posée, et **prendre des notes** au brouillon ;
→ **organiser sa réponse** :
– une **introduction** (présentation rapide des textes du corpus, annonce de la question à traiter et de la démarche adoptée : synthétique ou texte par texte),
– un **développement construit** qui prenne en compte tous les textes, dans lequel des **références** précises seront citées,
– une courte **conclusion** permettant un bilan ;
→ **ne consacrer qu'une heure**, au maximum, à cette épreuve.

1. Essai

MONTESQUIEU (1689-1755),
De l'esprit des lois **(1748), livre XV.**

Chapitre V – De l'esclavage des nègres

Si j'avais à soutenir le droit que nous avons eu de rendre les nègres esclaves, voici ce que je dirais :

Les peuples d'Europe ayant exterminé ceux de l'Amérique, ils ont dû mettre en esclavage ceux de l'Afrique, pour s'en servir à défricher tant de terres.

Le sucre serait trop cher, si l'on ne faisait travailler la plante qui le produit par des esclaves.

Ceux dont il s'agit sont noirs depuis les pieds jusqu'à la tête ; et ils ont le nez si écrasé qu'il est presque impossible de les plaindre.

On ne peut se mettre dans l'esprit que Dieu, qui est un être très sage, ait mis une âme, surtout une âme bonne, dans un corps tout noir.

Il est si naturel de penser que c'est la couleur qui constitue l'essence de l'humanité, que les peuples d'Asie, qui font des eunuques, privent toujours les noirs du rapport qu'ils ont avec nous d'une façon plus marquée.

On peut juger de la couleur de la peau par celle des cheveux, qui, chez les Égyptiens, les meilleurs philosophes du monde, étaient d'une si grande conséquence, qu'ils faisaient mourir tous les hommes roux qui leur tombaient entre les mains.

Une preuve que les nègres n'ont pas le sens commun, c'est qu'ils font plus de cas d'un collier de verre que de l'or, qui, chez des nations policées, est d'une si grande conséquence.

Il est impossible que nous supposions que ces gens-là soient des hommes ; parce que, si nous les supposions des hommes, on commencerait à croire que nous ne sommes pas nous-mêmes chrétiens.

De petits esprits exagèrent trop l'injustice que l'on fait aux Africains. Car, si elle était telle qu'ils le disent, ne serait-il pas venu dans la tête des princes d'Europe, qui font entre eux tant de conventions inutiles, d'en faire une générale en faveur de la miséricorde et de la pitié ?

QUESTIONS

1. À quels domaines Montesquieu emprunte-t-il ses arguments pour justifier l'esclavage ?

2. En quoi ce texte repose-t-il sur l'ironie ?

3. Quels rapprochements pouvez-vous faire entre ce texte et *Candide* ?

2. Théâtre

OLYMPE DE GOUGES (1748-1793), *Zamore et Mirza ou l'Esclavage des Noirs* (1792), acte I, scène 1.

[Zamore est un esclave qui s'est enfui avec sa maîtresse Mirza après avoir commis un crime pour la sauver.]

MIRZA

Le peu que je sais, je te le dois, Zamore ; mais, dis-moi, pourquoi les Européens et les habitants ont-ils tant d'avantages sur nous, pauvres esclaves ? Ils sont cependant faits comme nous, nous sommes des hommes comme eux : pourquoi donc une si grande différence de leur espèce à la nôtre ?

ZAMORE

Cette différence est bien peu de chose ; elle n'existe que dans la couleur, mais les avantages qu'ils ont sur nous sont immenses. L'art les a mis au-dessus de la nature : l'instruction en a fait des dieux, et nous ne sommes que des hommes. Ils se servent de nous dans ces climats comme ils se servent des animaux dans les leurs. Ils sont venus dans ces contrées, se sont emparés des terres, des fortunes des Naturels des Îles, et ces fiers ravisseurs des propriétés d'un peuple doux et paisible dans ses foyers firent couler tout le sang de leurs nobles victimes, se partagèrent entre eux leurs dépouilles sanglantes et nous ont faits esclaves pour récompense des richesses qu'ils ont ravies, et que nous leur conservons. Ce sont leurs propres champs qu'ils moissonnent, semés de cadavres d'habitants, et ces moissons sont actuellement arrosées de nos sueurs et de nos larmes. La plupart de ces maîtres barbares nous traitent avec une cruauté qui fait frémir la Nature. Notre espèce trop malheureuse s'est habituée à ces châtiments. Ils se gardent bien de nous instruire. Si

nos yeux venaient à s'ouvrir, nous aurions horreur de l'état où ils nous ont réduits, et nous pourrions secouer un joug aussi cruel que honteux ; mais est-il en notre pouvoir de changer notre sort ? L'homme avili par l'esclavage a perdu toute son énergie, et les plus abrutis d'entre nous sont les moins malheureux. J'ai témoigné toujours le même zèle à mon maître ; mais je me suis bien gardé de faire connaître ma façon de penser à mes camarades. Dieu ! détourne le présage qui menace encore ce climat, amollis le cœur de nos tyrans, et rends à l'homme le droit qu'il a perdu dans le sein même de la Nature.

MIRZA

Que nous sommes à plaindre !

ZAMORE

Peut-être avant peu notre sort va changer. Une morale douce et consolante a fait tomber en Europe le voile de l'erreur. Les hommes éclairés jettent sur nous des regards attendris ; nous leur devrons le retour de cette précieuse liberté, le premier trésor de l'homme, et dont des ravisseurs cruels nous ont privés depuis si longtemps.

QUESTIONS

1. Dans quel contexte politique paraît ce texte d'Olympe de Gouges ? Où en sont les combats pour les libertés en 1792 ?

2. Sur qui Zamore compte-t-il pour mettre fin à l'esclavage ?

3. Comparez la tirade de Zamore avec les paroles du nègre de Surinam. Quels traits communs y trouvez-vous ? Quelle différence apparaît ?

3. Essai

L'ABBÉ RAYNAL (1713-1796) et autres encyclopédistes, *Histoire des deux Indes* **(1770).**

[On attribue souvent ce texte à Denis Diderot, l'un des auteurs de l'Encyclopédie.]

Mais les nègres sont une espèce d'hommes nés pour l'esclavage. Ils sont bornés, fourbes, méchants ; ils conviennent eux-mêmes de la supériorité de notre intelligence, et reconnaissent presque la justice de notre empire.

Les nègres sont bornés, parce que l'esclavage brise tous les ressorts de l'âme. Ils sont méchants, pas assez avec vous. Ils sont fourbes, parce qu'on ne doit pas la vérité à ses tyrans. Ils reconnaissent la supériorité de notre esprit, parce que nous avons perpétué leur ignorance ; la justice de notre empire, parce que nous avons abusé de leur faiblesse. Dans l'impossibilité de maintenir notre supériorité par la force, une criminelle politique s'est rejetée sur la ruse. Vous êtes presque parvenus à leur persuader qu'ils étaient une espèce singulière, née pour l'abjection et la dépendance, pour le travail et le châtiment. Vous n'avez rien négligé pour dégrader ces malheureux, et vous leur reprochez ensuite d'être vils.

Mais ces nègres étaient nés esclaves.

À qui, barbares, ferez-vous croire qu'un homme peut être la propriété d'un souverain ; un fils, la propriété d'un père ; une femme, la propriété d'un mari ; un domestique, la propriété d'un maître ; un nègre, la propriété d'un colon ? Être superbe et dédaigneux qui méconnais tes frères, ne verras-tu jamais que ce mépris rejaillit sur toi ? [...]

Mais ils sont plus heureux en Amérique qu'ils ne l'étaient en Afrique.

Pourquoi donc ces esclaves soupirent-ils sans cesse après leur patrie ? Pourquoi reprennent-ils leur liberté dès qu'ils le peuvent ? Pourquoi préfèrent-ils des déserts et la société des bêtes féroces à un état qui vous paraît si doux ? Pourquoi le désespoir les porte-t-il à se défaire ou à vous empoisonner ? Pourquoi leurs femmes se font-elles si souvent avorter, afin que leurs enfants ne partagent pas leur triste destinée ? Lorsque vous nous parlez de la félicité de vos esclaves, vous vous mentez à vous-mêmes ou vous nous trompez. C'est le comble de l'extravagance de vouloir transformer en un acte d'humanité, une si étrange barbarie.

QUESTIONS

1. Pourquoi peut-on parler de dialogue argumentatif au sujet de ce texte ?

2. Par quels procédés le défenseur des esclaves cherche-t-il à persuader et à convaincre ?

3. Analysez les rapports logiques qui viennent à l'appui de la démonstration.

4. Nouvelle

PROSPER MÉRIMÉE (1803-1870),
Tamango (1829).

[Le capitaine Ledoux, malgré l'interdiction de la traite négrière, a fait aménager son bateau L'Espérance *de façon à transporter clandestinement un grand nombre d'esclaves qu'il vient chercher sur les côtes du Sénégal.]*

Le capitaine Ledoux se fit descendre sur le rivage, et fit sa visite à Tamango. Il le trouva dans une case en paille qu'on lui avait élevée à la hâte, accompagné de ses deux femmes et de quelques sous-marchands et conducteurs d'esclaves. Tamango s'était paré pour recevoir le capitaine blanc. Il était vêtu d'un vieil habit d'uniforme bleu, ayant encore les galons de caporal ; mais sur chaque épaule pendaient deux épaulettes d'or attachées au même bouton, et ballottant, l'une par-devant, l'autre par-derrière. Comme il n'avait pas de chemise, et que l'habit était un peu court pour un homme de sa taille, on remarquait entre les revers blancs de l'habit et son caleçon de toile de Guinée une bande considérable de peau noire qui ressemblait à une large ceinture. Un grand sabre de cavalerie était suspendu à son côté au moyen d'une corde, et il tenait à la main un beau fusil à deux coups, de fabrique anglaise. Ainsi équipé, le guerrier africain croyait surpasser en élégance le petit-maître le plus accompli de Paris ou de Londres.

[...]

On s'assit, et un matelot qui savait un peu la langue wolofe servit d'interprète. Les premiers compliments de politesse échangés, un mousse apporta un panier de bouteilles d'eau-de-vie ; on but, et le capitaine, pour mettre Tamango en belle humeur, lui fit présent d'une jolie poire à poudre en cuivre, ornée du portrait de Napoléon en relief. Le présent accepté

avec la reconnaissance convenable, on sortit de la case, on s'assit à l'ombre en face des bouteilles d'eau-de-vie, et Tamango donna le signal de faire venir les esclaves qu'il avait à vendre. Ils parurent sur une longue file, le corps courbé par la fatigue et la frayeur, chacun ayant le cou pris dans une fourche longue de plus de six pieds, dont les deux pointes étaient réunies vers la nuque par une barre de bois. Quand il faut se mettre en marche, un des conducteurs prend sur son épaule le manche de la fourche du premier esclave ; celui-ci se charge de la fourche de l'homme qui le suit immédiatement ; le second porte la fourche du troisième esclave, et ainsi des autres. S'agit-il de faire halte, le chef de file enfonce en terre le bout pointu du manche de sa fourche, et toute la colonne s'arrête. On juge facilement qu'il ne faut pas penser à s'échapper à la course, quand on porte attaché au cou un gros bâton de six pieds de longueur.

À chaque esclave mâle ou femelle qui passait devant lui, le capitaine haussait les épaules, trouvait les hommes chétifs, les femmes trop vieilles ou trop jeunes et se plaignait de l'abâtardissement de la race noire. « Tout dégénère, disait-il ; autrefois, c'était bien différent. Les femmes avaient cinq pieds six pouces de haut, et quatre hommes auraient tourné seuls le cabestan d'une frégate, pour lever la maîtresse ancre. » Cependant, tout en critiquant, il faisait un premier choix des Noirs les plus robustes et les plus beaux.

QUESTIONS

1. Expliquez le rôle de Tamango. À quels signes voit-on qu'il veut passer pour un égal du capitaine Ledoux ?

2. Comment le capitaine Ledoux mène-t-il la négociation ?

3. Comparez le défilé des esclaves avec le tableau *Convoi d'esclaves en Afrique vers 1859* (p. 148-149).

5. Peinture

Convoi d'esclaves en Afrique vers 1859, peinture anonyme du XIX[e] siècle.

QUESTIONS

1. Décrivez avec précision les éléments de ce tableau (composition, personnages, décor, etc.).

2. Comment interprétez-vous l'absence de maîtres blancs dans ce tableau ? Quel aspect de la traite négrière est ici dénoncé ?

3. De quelle façon la violence est-elle montrée ? Quelles émotions peut-on lire sur les visages ?

LEXIQUE

A

Abyme (mise en) : procédé qui consiste à insérer une œuvre dans une autre (théâtre dans le théâtre ; roman dans le roman ; tableau dans un tableau...).

Acmé : au théâtre, paroxysme de l'intrigue, tension extrême.

Allégorie : figure de style dans laquelle une notion abstraite est représentée sous une forme concrète.

Allitération : effet sonore produit par la répétition d'une ou de plusieurs consonnes dans une suite de mots proches.

Analepse : dans un récit, retour en arrière pour rappeler des événements passés.

Anaphore : figure de style dans laquelle le même mot (ou le même groupe de mots) est repris en début de phrase ou de vers.

Antiphrase : figure de style dans laquelle est sous-entendu le contraire de ce qui est dit ou écrit (procédé essentiel de l'ironie).

Antithèse : figure de style dans laquelle des mots ou des expressions d'une même phrase s'opposent (voir *oxymore*).

Aparté : au théâtre, paroles prononcées par un personnage et destinées à être entendues uniquement par le public.

Apologue : court récit à visée didactique ou morale (fable, conte...).

Apostrophe : figure de style dans laquelle une personne, un animal ou une chose (présente ou absente) est interpellé directement.

Assonance : effet sonore produit par la répétition d'une ou de plusieurs voyelles dans une suite de mots proches.

C

Catharsis : fonction majeure de la tragédie. Le spectateur se libère de ses passions au travers de la représentation théâtrale.

Champ sémantique : ensemble des sens d'un mot selon différents contextes.

Connecteur logique : mot de liaison invariable qui marque les étapes d'une argumentation.

Connotation : signification secondaire associée au sens premier d'un mot (voir *dénotation*).

D

Délibératif (monologue) : dans la tragédie, longue tirade dans laquelle un personnage, confronté à un choix, hésite entre plusieurs voies possibles.

Dénotation : sens premier d'un mot ; celui qui est donné dans le dictionnaire (voir *connotation*).

Dénouement : au théâtre, fin de l'action, résolution de l'intrigue. Par extension, fin d'une histoire.

Didascalies : au théâtre, ensemble des informations données par l'auteur en dehors des répliques (lieu, époque, décors, indications de mise en scène, noms, attitudes des personnages...).

Discours : le type de discours varie selon les intentions d'un auteur (discours narratif, explicatif, argumentatif, descriptif, injonctif).

Discours rapportés : discours direct, indirect, indirect libre, narrativisé.

Ellipse narrative : dans un récit, événement(s) non rapporté(s) dans la narration.

Énonciation : fait de produire un discours. Ensemble des conditions dans lesquelles cet énoncé est produit (locuteur, destinataire, lieu, époque, visée des propos). Au théâtre, on parle de « **double énonciation** » car les paroles d'un personnage sont destinées aux autres personnages présents sur scène, mais également aux spectateurs. L'auteur de la pièce s'adresse, lui aussi, au public au travers de son texte.

Euphémisme : figure de style dans laquelle une réalité, considérée comme choquante ou déplaisante, est atténuée (ex. : « non-voyant » pour « aveugle »).

Excipit : dernières lignes, fin d'une œuvre.

Exergue (mettre en) : placer au début d'un texte pour présenter, expliquer (citation...).

Exposition : première(s) scène(s) d'une pièce de théâtre qui présente(nt) les personnages et l'enjeu de l'action.

Focalisation (ou point de vue) : angle de vue du narrateur sur les événements et les personnages d'un récit.

Focalisation externe : narration neutre et objective. Seuls les apparences et l'aspect extérieur des événements sont rapportés, comme si une caméra filmait l'action.

Focalisation interne : narration subjective. Les événements sont vus et analysés au travers du regard et du jugement d'un seul personnage.

Focalisation zéro : le narrateur est omniscient, il connaît tout sur les personnages (leurs pensées, leurs émotions...).

Gradation : figure de style dans laquelle les mots sont ordonnés selon une progression ascendante (du plus faible au plus fort) ou descendante (du plus fort au plus faible).

H

Hyperbole : figure de style dans laquelle une idée est mise en relief au travers de l'amplification, de l'exagération.

Hypotexte : texte source qui sert de point de départ à une réécriture (le texte produit est l'**hypertexte**).

Hypotypose : description vivante et d'une grande intensité qui donne l'impression au lecteur d'assister à la scène décrite.

I

Incipit : premières lignes, début d'une œuvre.

Intertextualité : dans un texte littéraire, ensemble des références, implicites ou explicites, à un ou plusieurs autres textes.

Introspection : réflexion sur soi, sur son être intérieur.

L

Locuteur : émetteur ou producteur d'un message (énoncé) adressé à un destinataire.

M

Métaphore : figure de style dans laquelle deux idées sont rapprochées, sans terme comparatif (ex. : « Votre âme est un paysage choisi », Verlaine).

Métonymie : figure de style dans laquelle un élément (être, objet, lieu...) est désigné par un autre en rapport avec lui (ex. : contenu désigné par le contenant).

Modalisateurs : ensemble des termes (verbes, adverbes, lexique valorisant, dévalorisant...) qui indiquent le jugement porté par le locuteur (argumentation).

Monologue intérieur : procédé narratif qui consiste à rapporter les pensées d'un personnage.

N

Narrateur : celui qui raconte l'histoire (à distinguer de l'auteur).

Nœud : au théâtre, point central d'une intrigue, moment où les personnages se heurtent à des difficultés majeures.

O

Oxymore : figure de style dans laquelle deux termes de sens contraire sont placés côte à côte.

P

Parabole : récit allégorique qui permet de dispenser un enseignement moral ou religieux.

Paradoxe : proposition contraire à la logique, au sens commun.

Paratexte : ensemble des éléments qui entourent le texte (nom de l'auteur, titre, préface, notes...).

Parodie : imitation dans un but comique.

Pastiche : écriture « à la manière de », imitation du style d'un auteur.

Périphrase : figure de style dans laquelle un mot est remplacé par une expression qui insiste sur ses caractéristiques.

Polysémie : caractère d'un mot ou d'une expression qui a plusieurs sens.

Prolepse : dans un récit, anticipation d'une situation à venir.

Question oratoire (ou rhétorique) : fausse interrogation, question qui n'attend pas de réponse.

Quiproquo : malentendu, méprise (effet comique au théâtre).

Registre littéraire : désigne l'ensemble des moyens utilisés par l'auteur pour susciter un effet particulier, une émotion face à un texte. Les registres sont divers : comique, tragique, lyrique, épique, polémique, pathétique, satirique, didactique, épidictique (admiration ou blâme).

Satire : critique par le rire d'un fait de société, d'une idée, d'un vice humain, etc.

Schéma actantiel : schéma qui présente l'ensemble des rôles (**actants**) et leurs relations. Un récit est considéré comme la **quête** d'un objet par un sujet. Le **destinateur** incite le sujet (le héros) à poursuivre cette quête, qui doit bénéficier à des **destinataires**. Le **sujet** peut être aidé par des personnages (**adjuvants**) ou, au contraire, il peut rencontrer des adversaires (**opposants**).

Schéma narratif : schéma qui détermine la structure d'un récit : situation initiale, événement perturbateur, péripéties, élément de résolution et situation finale.

Stichomythie : au théâtre, dialogue vif avec des répliques très courtes.

Thèse : point de vue défendu, opinion soutenue (dans un texte argumentatif).

Tirade : au théâtre, longue suite de phrases prononcées par un personnage.

Topos : (du grec « lieu ») cliché, lieu commun dans la littérature (ex. : le thème récurrent de la rencontre amoureuse). Au pluriel : **topoï**.

NOTES PERSONNELLES

NOTES PERSONNELLES

NOTES PERSONNELLES

NOTES PERSONNELLES

Classiques & *Patrimoine*

Dans la même collection, pour le lycée général et technologique et pour le lycée professionnel :

2ᵈᵉ - 1ʳᵉ

LE ROMAN ET LA NOUVELLE
Honoré de Balzac, *Le Colonel Chabert*
Gustave Flaubert, *Un cœur simple*
Mme de La Fayette, *La Princesse de Clèves*
Guy de Maupassant, *Bel-Ami*
Guy de Maupassant, *Les deux Horla*
Guy de Maupassant, *Pierre et Jean*
Guy de Maupassant, *Une partie de campagne*
Émile Zola, *Portraits de femmes –*
Neuf nouvelles naturalistes
Émile Zola, *Le Rêve*

LE THÉÂTRE
Beaumarchais, *Le Barbier de Séville*
Pierre Corneille, *L'Illusion comique*
Marivaux, *La Double Inconstance*
Marivaux, *Le Jeu de l'amour et du hasard*
Molière, *L'École des femmes*
Molière, *Les Femmes savantes*
Molière, *Le Misanthrope*
Molière, *Le Tartuffe*
Jean Racine, *Andromaque*
Jean Racine, *Britannicus*
Jean Racine, *Phèdre*
William Shakespeare, *Roméo et Juliette*
William Shakespeare, *Le Songe d'une nuit d'été*
Sophocle, *Antigone*

LA POÉSIE
Guillaume Apollinaire, *Alcools*
Charles Baudelaire, *Les Fleurs du mal*
Victor Hugo, *Pauca meæ – Livre IV des*
Contemplations
Arthur Rimbaud, *Poèmes*

L'ARGUMENTATION
Genres et formes de l'argumentation
Denis Diderot, *Contes philosophiques*
Montesquieu, *Lettres persanes*
François Rabelais, *Gargantua*
Voltaire, *Candide*
Voltaire, *Micromégas*
Voltaire, *Zadig*

2ᵈᵉ PRO

CONSTRUCTION DE L'INFORMATION
Guy de Maupassant, *Bel-Ami*

DES GOÛTS ET DES COULEURS, PARLONS-EN...
Guillaume Apollinaire, *Alcools*
Pierre Corneille, *L'Illusion comique*
Molière, *Les Femmes savantes*
Molière, *Le Tartuffe*
Jean Racine, *Andromaque*
Jean Racine, *Britannicus*
Jean Racine, *Phèdre*
William Shakespeare, *Roméo et Juliette*

PARCOURS DE PERSONNAGES
Honoré de Balzac, *Le Colonel Chabert*
Gustave Flaubert, *Un cœur simple*
Victor Hugo, *Les Misérables*
Guy de Maupassant, *Cinq nouvelles réalistes*
Guy de Maupassant, *Boule de suif*
Guy de Maupassant, *Pierre et Jean*
Guy de Maupassant, *Une partie de campagne*
Émile Zola, *Portraits de femmes –*
Neuf nouvelles naturalistes
Émile Zola, *Le Rêve*

1ʳᵉ PRO

DU CÔTÉ DE L'IMAGINAIRE
Guy de Maupassant, *Les deux Horla*
Guy de Maupassant, *Cinq nouvelles fantastiques*
Prosper Mérimée, *La Vénus d'Ille*
Edgar Allan Poe, *Quatre histoires extraordinaires*

LES PHILOSOPHES DES LUMIÈRES ET LE COMBAT CONTRE L'INJUSTICE
Genres et formes de l'argumentation
Denis Diderot, *Contes philosophiques*
Victor Hugo, *Le Dernier Jour d'un condamné*
Marivaux, *La Double Inconstance*
Montesquieu, *Lettres persanes*
Voltaire, *Candide*
Voltaire, *Micromégas*
Voltaire, *Zadig*

L'HOMME FACE AUX AVANCÉES SCIENTIFIQUES
Bram Stoker, *Dracula*
Jules Verne, *Le Tour du monde en 80 jours*

Tˡᵉ PRO

LA PAROLE EN SPECTACLE
Beaumarchais, *Le Barbier de Séville*
Molière, *Le Misanthrope*
William Shakespeare, *Le Songe d'une nuit d'été*

Conception graphique : Muriel Ouziane et Yannick Le Bourg
Édition : Charlotte Cordonnier
Illustrations des frises : Benjamin Strickler
Réalisation : Nord Compo, Villeneuve-d'Ascq
Crédits iconographiques : Couverture, rabats, p. 133 et p. 148-149 : © Leemage – Cadre (couverture) : © Martial Lorcet – p. 7 : © Photo by permission of the Voltaire Foundation, University of Oxford – p. 121 : édition américaine de *Candide*, de Voltaire, publiée par George Routledge & Co in 1922 et illustrée par Alan Odle (1888-1948) - Droits réservés – p. 125 : © The Bridgeman Art Library – p. 129 : © BNF.

Achevé d'imprimer en novembre 2016
par «La Tipografica Varese Srl» en Italie
N° éditeur : 2016-2020
Dépôt légal : avril 2013

Certifié PEFC
Ce produit est issu
de forêts gérées
durablement et de
sources contrôlées
PEFC/18-31-264 www.pefc-france.org